LA VIE PAYSANNE
1860–1900

GERMAIN LEMIEUX

Autres ouvrages de Germain Lemieux

Chanteurs franco-ontariens et leurs chansons, Collection "Documents histori-ques", 45 et 46, Société historique du Nouvel-Ontario, Sudbury, 1963.

De Sumer au Canada français, sur les ailes de la tradition, Collection "Documents historiques", 51 et 52, Société historique du Nouvel-Ontario, Sudbury, 1968.

Placide-Eustache, Sources et parallèles du conte-type 938. Collection "Archives de Folklore", 10. Presses de l'Université Laval, Québec, 1970.

Les jongleurs du billochet. Conteurs et contes franco-ontariens, Bellarmin, Montréal; Maisonneuve et Larose, Paris, 1973.

Les vieux m'ont conté. Volumes 1 à 18, 1973-1982, Bellarmin, Montréal; Maisonneuve et Larose, Paris.

Chansonnier franco-ontarien 1 (1974) et 2 (1975). Centre franco-onta-rien de folklore, Sudbury.

LA VIE PAYSANNE 1860–1900

GERMAIN LEMIEUX

Les Éditions
PRISE DE PAROLE
Les Éditions FM

Auteur:
Germain Lemieux

Éditeur:
Gaston Tremblay

Conception graphique:
Réal Fortin

Dessins:
50 Carleton et Associés

Dessins des couvertures:
Bernard Aimé Poulin

Photographie:
Jean Gobeil
Jacques Trottier

Distribution:
En Ontario: Les Éditions
   Prise de Parole
   C.P. 550
   Sudbury (Ontario)
   P3E 4R2
   (705) 675-6491

Au Québec: Les Éditions FM
   1113, rue Desnoyers
   Laval (Québec)
   H7C 1Y6
   (514) 324-0712

ISBN 0-920814-44-1 (relié)

ISBN 0-920814-45-X (broché)

Copyright© Ottawa, 1982, Centre franco-ontarien de folklore

Éditeur: Prise de Parole Inc.
Co-éditeur: Éditions FM
Déjà paru chez les mêmes éditeurs:
Germain Lemieux
LE FOUR DE GLAISE, ISBN 0-920814-41-7

AVANT-PROPOS

Cette série de notes n'a pas la prétention de donner tous les renseignements relatifs à la vie paysanne de tous les coins du Canada français dans la dernière moitié du 19e siècle. Ces notes ont été présentées aux étudiants de l'Université de Sudbury comme base d'un cours sur la paysannerie, de septembre 1979 à mai 1980.

C'est un traité basé sur une expérience personnelle en milieu rural, sur de multiples enquêtes auprès de vieux cultivateurs, sur de nombreuses visites dans les musées, sur de multiples lectures de romans canadiens et d'anthologies traitant de la littérature canadienne du siècle dernier.

Nous n'indiquerons pas toujours quelle région utilisait telle technique ou pratiquait telle coutume. En général, nous nous en tenons au paysan québécois et à nos pionniers franco-ontariens, à partir de 1885. Ces derniers ont émigré de différentes régions du Québec, et ils ont, règle générale, continué le genre de vie de leurs parents demeurés dans la province-mère. Souvent, les familles francophones ontariennes ont conservé un outil, un instrument hérité du grand-père, vers 1870. Nous avons recueilli plusieurs témoignages — publiés en appendice — de vieux cultivateurs franco-ontariens dont les parents se sont installés dans notre région à la fin du siècle dernier, apportant les coutumes et les techniques du père ou du grand-père. Nous possédons, dans notre musée, des outils partiellement de bois, fabriqués par un ancêtre qui a bâti, au moyen de ces outils, certaines pièces d'un moulin à scie, avant 1840.

Nous constatons parfois, dans nos lectures, que telle coutume encore en usage, chez nous, était courante sous le régime français; elle nous est donc parvenue par les soins de nos grands-parents.

Les présentes notes servaient à expliquer de nombreuses diapositives concernant l'habitation, l'outillage, le genre de vie du paysan canadien aux prises avec la terre, dans un climat social bien particulier et une évolution technologique inévitable. Nous remplaçons les diapositives par des dessins et parfois des photos.

Le cours sur la vie paysanne d'autrefois a pour but premier de renseigner; mais il tend aussi à susciter chez nos jeunes l'admiration pour ces lutteurs qui ont défriché des régions entières, grâce à leurs forces physiques et à leur talent d'adaptation et de créativité.

Nous nous rappelons avec bonheur que, ces dernières années, des étudiants s'étaient écriés, à la vue d'une maquette de maison construite à "queue d'aronde": "C'est génial!" Oui, si nous pouvions, quelques fois seulement au cours de notre étude, provoquer cette même exclamation à propos d'un outil, d'une technique ou d'un procédé, cette incursion dans la vie paysanne aurait atteint une grande partie de son but.

Nous déplorons que trop de nos romanciers ou nouvellistes contemporains placent leurs héros dans un quartier miséreux d'une ville surpeuplée, dans un pâté de taudis d'une zone défavorisée. Pourquoi ne pas choisir, une fois de temps en temps, un sujet de roman où le héros évolue à la campagne, dans un milieu d'honnêtes paysans qui travaillent à bâtir l'avenir, en s'aidant, en s'aimant et en développant des talents d'organisation et d'adaptation? Mais quel écrivain se risquera à placer un héros dans un milieu inconnu? Comment pourra-t-il décrire avec vraisemblance un accident survenu au cours de la construction d'une grange, un jour de corvée? Comment décrira-t-il la veillée qui clôture une corvée d'abattis, s'il n'a jamais entendu parler de la rivalité qui existait souvent entre certains fiers-à-bras décidés à décrocher un titre ou à conquérir le coeur d'une jolie paysanne?

Et ceux de nos étudiants qui ne se croient pas le talent de composer une saynète ou écrire un roman, pourront certainement, à la lumière de ce cours, mieux comprendre certaines oeuvres littéraires du siècle passé.

Et les poètes? Et les chansonniers de la jeune génération? Quelle source abondante d'inspiration artistique leur procurera cette étude du paysan quotidiennement en contact avec la ferme, la forêt, dans la chaleur de juillet ou la tempête de décembre!

Notre grand souhait, en préparant cette monographie, a été de donner un peu de fierté à nos jeunes qui ne manqueront pas d'admirer chez les ancêtres des qualités bien canadiennes, l'endurance, le génie inventif et le courage dans l'affrontement de défis lancés par une vie paisible mais féconde en difficultés d'ordre économique et politique.

N'oublions pas, non plus, la période d'incertitude qui a précédé l'étape de stabilité politique et de création de centaines de paroisses agricoles à travers le pays. L'esprit de combattivité du Canadien rural n'est pas né près d'une souche ou dans la poétique chaleur d'un feu de "cabane à sucre". Notre paysan s'est battu pour revendiquer ses droits avant de se battre contre la forêt ou les maringouins.

Pour mieux connaître, pour mieux préparer l'avenir, apprenons à connaître le paysan des anciennes générations — notre grand-père peut-être — ce héros ignoré dont on ne devrait pas permettre au souvenir de s'éteindre.

Sudbury, Ontario

INTRODUCTION

Cette monographie n'est pas basée sur des publications qui analysent le caractère du paysan, son sens pratique ou artistique.

Elle veut montrer le paysan de la dernière moitié du 19ᵉ siècle, d'après des témoignages entendus des ancêtres (grands-parents) et des témoins matériels qui remontent parfois à un siècle ou plus. Nous faisons allusion ici aux outils, aux maisons ou granges, aux instruments utilisés autrefois, aux techniques diverses qu'a conservées ou améliorées le paysan, pour vivre et humaniser son milieu.

Le présent volume ne montrera pas tel paysan sur telle ferme à telle date précise, mais parlera du paysan en général s'adaptant à différentes conditions géographiques et historiques. Nous tendrons à démontrer une certaine évolution dans l'organisation de la vie paysanne, depuis le défricheur qui bâtit son premier camp en troncs d'arbres le long d'un ruisseau, jusqu'au gros cultivateur logé dans une longue maison à lucarnes, éclairée à l'électricité provenant du générateur mû par le moulin à vent. Nous le verrons installer les clôtures d'après différentes techniques depuis la clôture de perches en zigzag, jusqu'à la clôture de fils d'acier achetée à la manufacture. On constatera que les techniques paysannes évoluent dans tous les domaines à mesure que la mécanisation fait son apparition à la maison et sur la ferme.

La vie paysanne

Le mot paysan est pris ici dans son sens étymologique de "homme du pays", c'est-à-dire de la campagne (latin: pagus). En parlant de l'habitant canadien ou du cultivateur, nous emploierons volontiers le mot "paysan", sans lui prêter le moindre sens péjoratif.

La vie paysanne voudrait aussi bien décrire la vie de famille, le travail de la ferme, que les relations sociales entre gens d'un même milieu. La vie comprendra la manière de construire les habitations, de s'habiller, de se nourrir, de se réjouir, de s'adonner à certains travaux relatifs à la cuisine, de travailler au confort des gens et des bêtes. Les techniques regarderont tantôt la menuiserie, le tissage, les semailles, les récoltes, le battage . . . ou tout geste répété par l'artisan dans un but précis. Chez lui, rien ou très peu est laissé à l'improvisation. Nous insisterons, entre autres points, sur le sens pratique du paysan. Il n'invente pas toujours son outillage, mais il tend à se servir de son talent pour faire donner un meilleur rendement à un outil, tout en réduisant l'effort de celui qui l'utilise. On verra, par exemple, qu'un banc-lit (lit du quêteux) servira de siège, le jour, et de lit, la nuit; qu'une sorte de brancard peut servir à plusieurs voitures l'hiver, grâce à un léger bâton (gaton) que l'on glisse dans des anneaux disposés sur une solide barre reliant les brancards (menoires).

Puissent ces quelques chapitres nous faire mieux connaître le paysan et la paysanne s'adaptant à des tâches difficiles, variées, construisant pour eux et leurs enfants un avenir plus souriant, un milieu plus humanisé et plus confortable! Suivons-les, voyons-les agir. Peut-être y reconnaîtrons-nous une technique, une coutume transmise par un grand-père ou par un vieillard dont l'enfance a connu la dernière décennie du 19ᵉ siècle!

REMERCIEMENTS

L'auteur remercie la compagnie International Nickel (INCO), la corporation Le Collège du Sacré-Coeur de Sudbury et le G.I.E.F.O. d'avoir défrayé une partie de la recherche et de la préparation de la matière de ce volume.

L'auteur désire remercier la Fondation du Patrimoine Ontarien, Ministère des Affaires Civiques et Culturelles pour sa subvention à la préparation des dessins de ce livre.

Prise de Parole remercie Le Conseil des Arts du Canada et Le Conseil des Arts de l'Ontario pour leurs subventions.

Chapitre 1

PRUDENCE DU PAYSAN QUI CHOISIT SON "LOT"

Tout colon sérieux n'acceptait pas le premier lot qu'on lui offrait. Il n'entreprenait pas le défrichement d'une propriété qu'il n'avait pas visitée de long en large. Il lui fallait savoir si un cours d'eau — ruisseau ou rivière — coupait son terrain, si une montagne venait réduire la terre cultivable, si une savane rendait difficile la construction d'une route. . . Un colon prudent devait s'enquérir de la qualité du sol, de la richesse du boisé, de la constitution du sous-sol. Trop de galets ou trop de glaise rendrait la culture difficile; trop d'humidité ou trop peu d'eau offrirait certains inconvénients; le voisinage d'un lac ou d'une rivière peut être avantageux. . .

S'il choisit son lot dans une région montagneuse, il devra prévoir les difficultés de transport, plus tard. . . l'hiver ou l'été. Le paysage est peut-être enchanteur, mais peu propice à la culture; le sol peut être de première qualité pour la culture du tabac, mais réfractaire à celle du blé ou de l'avoine. Telle région peut très bien se prêter à l'élevage, mais non à la culture. Le nouveau colon devra soupeser ces facteurs et prendre ses décisions.

Quand viendra le temps de bâtir sa maison ou son premier campement, le colon devra tenir compte d'une certaine géographie de sa propriété. Bâtie au sommet de telle colline, la maison jouirait d'une vue magnifique, le moulin à vent fournirait une meilleure énergie. . . mais pourrait-on se ravitailler facilement en eau? En hiver, le chauffage devrait être plus abondant, la côte ne sera-t-elle pas trop difficile à gravir, à déblayer? Si l'on bâtit au pied de la montagne, le soleil ne donnera sa chaleur qu'une partie de la journée, le terrain sera plus humide, pourra-t-on facilement bâtir le caveau à légumes? La cour de ferme ne sera-t-elle pas inondée, le printemps? Si l'on bâtit trop près de la rivière, il faut compter avec l'érosion, mais plus grande sera la possibilité d'utiliser le pouvoir hydraulique.

Le paysan doit donc procéder prudemment et souvent par étapes successives avant d'organiser sa propriété de la façon la plus avantageuse possible.

Nous supposerons que le colon exploite d'abord son lot de façon primitive et artisanale; il n'a pas d'animaux — peut-être quelques volailles et un cheval (ou un boeuf) — il arrive en pleine forêt, sa hache sur l'épaule, quelques semaines peut-être avant l'arrivée de la petite famille. Il lui faut se bâtir rapidement une habitation (un camp) relativement confortable, loger le peu d'animaux qu'il possède. À mesure que la forêt reculera, il accumulera du bois de construction, fera un peu de semailles en vue de la subsistance de la famille qui viendra bientôt vivre à ses côtés.

Chapitre 2

INSTALLATION DU COLON

LE CAMP

Première installation: camp de troncs d'arbres (non équarris) reliés aux encoignures d'après différentes techniques (coche double, coche simple), très primitives pour économiser le temps; ensuite, construction temporaire. Fenêtres rares, porte solide faite sur place, avec pentures en bois, parfois en cuir. On bouche les interstices entre les billots au moyen de mousse, d'écorce de cèdre renforcée de glaise ou de mortier.

Le toit (parfois un seul pan) fait de souches de cèdre (ou d'épinette) évidées et placées de façon à recevoir et à faire écouler l'eau de pluie. Ces souches fendues sont imbriquées à la façon de bardeaux et de tuiles semi cylindriques. L'eau, détournée par la partie convexe de l'arbre, est recueillie par la partie concave. Toit très simple, très étanche, érigé au moyen de matériaux trouvés sur place.

Toit de souches fendues

Comme mobilier essentiel: un poêle à tuyau, une bouilloire, une table, des sièges (bûches), une huche à pain, quelques ustensiles. . . lampe (fanal) à l'huile, lit de sapin ou paillasse. On tentera de s'éclairer à la chandelle, mais où se la procurer? Il faudra attendre que l'on abatte les premières bêtes à cornes pour obtenir le suif dont on fabriquera les chandelles.

Pour les animaux. . . Si l'on a un cheval, un boeuf, le paysan bâtira un abri de troncs d'arbres; la partie qui sert de grange (foin, avoine, voiture) est plus aérée (on ne calfeutre pas les fentes qui ont été laissées entre les billots).

Quant à l'eau — pour abreuver les animaux et pourvoir aux besoins de la cuisine ou du lavage — elle peut venir d'un ruisseau, d'un lac. On la charroie dans un tonneau sur traîneau ou sur roues. On recueille l'eau des gouttières pour le lavage. . .

Transport de l'eau

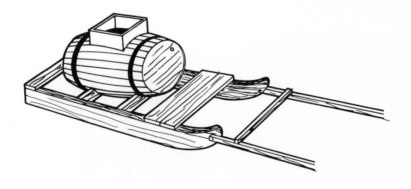

Si la source d'eau est éloignée, on se servira du "joug" (palanche) pour porter les seaux d'eau.

Dans plusieurs anciennes demeures, on a longtemps conservé dans un coin, un baril ou "quart à l'eau" que l'on remplissait une fois ou deux par jour. Au cours de certaines réunions (corvées ou veillées), nos anciens racontent maints accidents relatifs au "quart à l'eau".

Après la première récolte (avoine, orge, pois. . . patates, légumes), on songera à agrandir la grange (foin, grain), à organiser un caveau à légumes (surtout si le camp n'a pas de cave). Le caveau ne devra pas être très éloigné de la maison, bâti de façon que la neige le protège contre le froid. Il peut servir, l'été, pour conserver la viande, le lait. Ce caveau doit être haut au-dessus de l'eau, être bien isolé contre le soleil et le froid, de façon que la température y soit assez basse. On le pourvoit d'un ventilateur contre l'humidité.

À l'intérieur, on peut disposer des tablettes pour conserves, viande; plus près du sol, des carrés pour patates, ou autres légumes. Il faut surveiller les rongeurs qui peuvent s'y introduire à l'approche de l'hiver et hiverner aux dépens du paysan.

Pendant l'hiver, parfois le paysan ira aux chantiers; s'il a fait une récolte, il devra battre, dès l'automne, le grain récolté: blé, avoine, orge, pois. . . pour les animaux et la famille, le blé, pour cuire le pain, l'orge pour le café (orge grillée) ou la soupe, les pois pour la soupe. Battage au fléau: une aire étanche et le fléau; il se servira sans doute du van pour nettoyer sa petite quantité de grain.

En plus de se nourrir de sa maigre récolte, le paysan devra en prélever une certaine partie pour la prochaine semence.

LA POTASSE*

La première ou les premières années qui suivent l'arrivée du paysan sur sa "terre", le sol arable est assez rare; à la suite d'un abattis, il a fait brûler le bois. Il reste la cendre et les souches.[1]

Une partie de la cendre, surtout celle du bois franc, sera récupérée en vue de la potasse, substance utilisée pour le lavage, pour le savon, et très recherchée sur le marché au cours du 19e siècle. On peut l'extraire, en plaçant quelques pouces de gravier dans le fond d'un tonneau; on recouvre le gravier de quelques poignées de paille. Ensuite, on remplit le

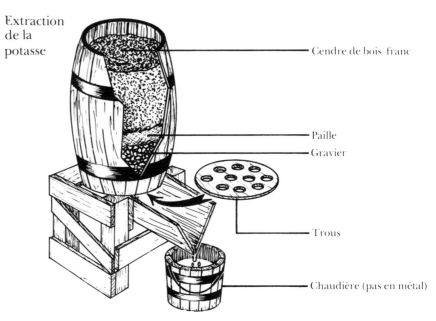

Extraction de la potasse

Cendre de bois franc

Paille

Gravier

Trous

Chaudière (pas en métal)

* À lire: *Appendice*, section C, section B.

1. Pierre DesRuisseaux, **Le p'tit almanach illustré de l'habitant**, p. 69-70. Gérin-Lajoie. **Jean Rivard le défricheur.** Ch. XIV: Potasse et Perlasse.

tonneau de cendre de bois franc et l'on y verse de l'eau chaude. Il faut avoir installé le fond du tonneau, qu'on aura perforé de quelques trous de mèche, sur une sorte de banc étanche pourvu d'un dalot. La potasse dissoute par l'eau se filtre à travers la paille et le gravier, vient tomber dans le dalot et finalement dans un baquet de bois ou de grès (pas d'acier ni d'aluminum!). C'est ce que l'on appelait le "lessi" ou la lessive.

LES PREMIÈRES SEMAILLES*

Une fois l'abattis "brûlé", il reste un lit de cendres et d'humus assez riche; mais aussi les souches! Même si le paysan a le temps d'arracher quelques souches, il peut difficilement utiliser le cheval pour ses semailles. Il sèmera donc le grain à la main, même les patates, entre les souches, et hersera au moyen du râteau manuel. Les légumes surtout pousseront en abondance dans le "sarpé", i.e. la terre nouvellement défrichée. Les patates seront plantées dans des trous creusés à la pioche ou à la pelle.

Tout en faisant reculer la forêt, le paysan verra à entretenir pommes de terre, légumes et grains. Il verra ainsi à semer du mil ou du trèfle dans son abattis brûlé. Il voit aussi à arracher les souches les plus faibles, soit à force de bras et de leviers, soit à force de cheval en utilisant une "grippe" ou arrache-souche. Parfois, la chaîne et le palan l'aideront à éclaircir les souches.

Arrache-souche

DEUXIÈME INSTALLATION*

La maison est plus confortable, la grange et l'écurie plus vastes.

Après un an ou deux de défrichement et de tâtonnement, de vie austère dans un camp de bois rond, le paysan songe à s'établir sérieusement sur sa ferme. Il a défriché plusieurs arpents de terre, il a essouché une ou deux "saisons", il est temps de songer à sa nouvelle maison et à sa nouvelle grange-écurie. Il consacrera un hiver à équarrir des poutres en vue de bâtir sa maison, couper le bois de sa grange.

Il bâtira des murs pièce-sur-pièce, avec encoignures à queue d'aronde, une maison capable d'abriter une bonne famille de cette époque (1860-1900); il prévoira l'emplacement d'une cuisine d'été ou d'un agrandissement subséquent. Il faut prévoir le plan général: solage de

* À lire: **Appendice**, section L.

pierre ou de bois, cave, genre de fenêtres, lucarnes, chambres sous les combles, choisir l'emplacement (eau, colline), bardeau pour le toit, planches pour revêtement extérieur et certains meubles, se procurer vitres de fenêtres, briques pour cheminée, échelles, tuyau de poêle, clous.

Construction à queue d'aronde

Le temps de la construction arrivé (entre foins et récoltes), en général, on fait une *corvée* [2], si le canton est déjà habité. Il ira se chercher des aides au loin, de préférence membres de la famille, s'il est un des pionniers de la région. La maison s'élèvera assez rapidement, si tout est préparé d'avance. À la corvée — s'il y a corvée — chacun apporte ses outils: pelle, pioche, scie, hache, ciseau, tarière, marteau; chacun y va de sa meilleure volonté et de son tour d'acrobatie. On creuse la cave au moyen d'une pelle à cheval, de la charrue, de la pioche, de la pelle manuelle; on enlève les pierres au moyen du "stone-boat" ou traîne plate. Si le solage est très bas, on creusera la cave plus profonde. Souvent le solage est temporaire; il est constitué de poutres de cèdre que l'on remplacera plus tard par de la pierre et du ciment. Parfois, la cave sera assez grande pour y conserver les salaisons, les légumes et une certaine quantité de patates. Une porte donnant sur l'extérieur est de grande utilité pour l'été. En hiver, on communique avec la cave par une trappe qui s'ouvre de bas en haut au moyen d'un anneau; cette trappe permet d'utiliser l'escalier qui descend dans la cave. Quand la cave est assez vaste, on y conserve une bonne quantité de bois de chauffage, le bois sec pour allumer le poêle ou empêcher d'aller dehors par un temps de tempête. C'est

2. Gérin-Lajoie. op. cit. ch XXVIII: **La corvée.**

dans la cave que l'on conservera le tonneau de mélasse, de bière d'épinette, le vin, le "quart" de lard salé, la réserve de tabac et d'herbes salées.

Trappe de cave

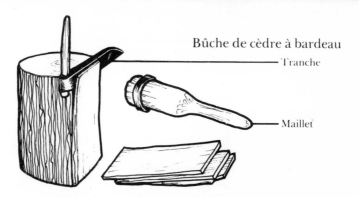

Bûche de cèdre à bardeau

Tranche

Maillet

Le bardeau, encore vers 1860, était fabriqué à la main. On coupait du cèdre sain, et, après l'avoir équarri et laissé sécher, on le coupait en bûches de 40 ou 46 centimètres de longueur. Ensuite, on fendait ces bûches au moyen d'une large tranche d'acier, en planchettes d'un peu plus d'un centimètre d'épaisseur. Ensuite, on devait aplanir chaque planchette (qui deviendra bardeau), à la main, au moyen d'une plane. Pour faciliter la tâche et assurer la précision, on utilisait un banc (souvent appelé banc-chien) muni d'une mâchoire mécanique mue par le pied de l'artisan. La planchette retenue, par une extrémité, permettait à l'artisan de la polir à la plane, et d'en amincir un des bouts. D'un peu plus d'un centimètre, elle se terminait par une extrémité de quinze millimètres d'épaisseur. Une fois le polissage terminé, on l'empilait pour en faire une "boîte". Chaque bardeau pouvait avoir une largeur différente de celle de la pièce voisine. On clouait le bardeau sur le toit, en commençant par le bas et en imbriquant les bardeaux les uns sur les autres; on laissait un "découvert" de dix ou onze centimètres entre chaque rang.

Banc à bardeau

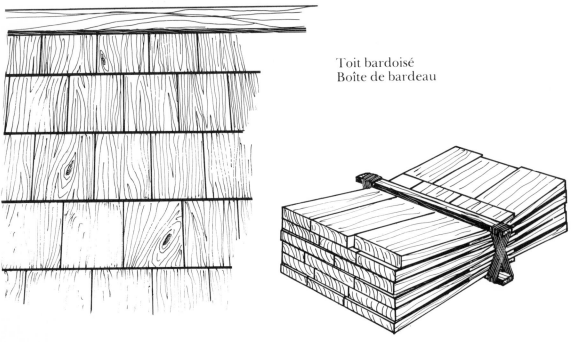

Toit bardoisé
Boîte de bardeau

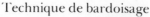
Technique de bardoisage

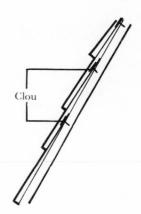
Clou

On devait éviter que deux bardeaux de même dimension reposent l'un sur l'autre. Il y aurait eu danger que la pluie ne s'infiltre par ces deux fentes superposées. De même, il fallait couvrir, au moyen de la rangée supérieure, les clous de la rangée inférieure, de façon que les clous ne soient pas exposés à la pluie. La plupart du temps, on huilait le bardeau avant de le clouer sur le toit pour lui assurer une plus longue durée.

Si l'on construisait immédiatement une cheminée de pierre ou de brique, il fallait voir à ce qu'elle n'affaiblisse pas le toit en coupant une poutre importante. Si l'on n'avait pas le temps de bâtir une cheminée au moment de la construction de la maison, il fallait y installer un tuyau et prévoir une sorte d'isolant pour protéger la maison contre le feu.

La maison, même habitée, n'est pas nécessairement pourvue de tout le confort possible. On se contente d'une maison chaude, dont les fenêtres puissent s'ouvrir et se fermer facilement sans laisser pénétrer le froid. Les murs de poutres équarries seront recouverts, à l'intérieur, de planches verticales et de tapisserie, parfois de papier-journal. Les cloisons sont de planches rarement bouvetées .

Il existait avant 1860, des moulins à scie où l'on pouvait se procurer la planche ou les poutres équarries à la scie mécanisée (moulin à eau). Mais dans un coin de la forêt dernièrement ouvert à la colonisation, on ne disposait pas de moulin ou même, si le moulin avait existé, les moyens de locomotion et l'absence de routes rendaient impossible l'accès au moulin à scie. Il fallait donc équarrir les poutres à la hache; si l'on voulait scier de la planche en vue de s'en servir comme revêtement ou pour les cloisons, il fallait recourir à la scie de long, scie actionnée par deux hommes. On installait un échafaud de deux mètres de hauteur, on roulait sur cet échafaud la poutre à débiter en planches. Un homme se plaçait au sommet de l'échafaud, un autre se plaçait sur le sol; outillés d'une longue scie à deux poignées, les deux ouvriers sciaient la bûche, l'un, en tirant vers le sol, l'autre en tirant vers le haut. On ne pouvait scier qu'un petit nombre de planches chaque jour. Il faut se rappeler toutefois que les poutres de pin, vers les 1860, étaient de diamètre imposant. Le menuisier qui construisait une cloison n'avait pas besoin de plusieurs douzaines de planches de 40 ou 50 centimètres largeur et de cinq ou six mètres de longueur.

Quand les planches étaient sciées, le menuisier devait les varloper pour en faire disparaître la rugosité; si le paysan désirait une cloison étanche (sans fentes), il devait en bouveter les planches. Le menuisier possédait les bouvets nécessaires à cette opération. Un bouvet creusait une rainure dans une planche et le menuisier la clouait. Au moyen d'un autre bouvet, il préparait, dans la planche voisine, une languette qui se logeait à frottement doux dans la rainure de la planche déjà clouée.

Scie de long

Dans grand nombre de cas, surtout dans les salles un peu plus fréquentées, les cloisons se composaient de plusieurs panneaux décorés de multiples moulures et cloués sur une charpente ou appuyés à un mur de bois brut. Dans la plupart des maisons de colons, on se contentait de cloisons simples recouvertes de tapisserie ou de papier.

La cuisine est une pièce assez vaste; c'est là qu'est le poêle central. Le tuyau, souvent très long, passe par plusieurs pièces avant d'arriver à la cheminée, par économie de chauffage. Parfois, le poêle est acculé à une cloison mitoyenne qui s'ouvre pour faire profiter de sa chaleur, une pièce voisine.

Planches bouvetées

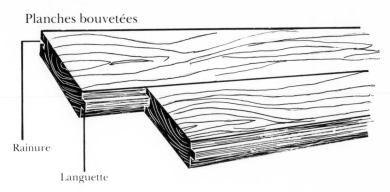

Rainure

Languette

Au début (1845), le poêle est à deux ou trois ponts. Une bouilloire ronde (bombe) fournit l'eau chaude pour les aliments et le lavage. Plus tard, le poêle, plus ornementé, possédera un réservoir qui contient de l'eau chaude, réservoir incorporé au poêle. Souvent, le pont supérieur du poêle ne sert que de réchaud. Là où le poêle à réchaud n'existait pas, on utilisait parfois une grille-réchaud ou sorte de léger treillis circulaire attaché autour du tuyau, un peu au-dessus du poêle. Sur cette grille-réchaud, on pouvait déposer des plats d'un poids assez léger. Même si la grille, appuyée au tuyau au moyen d'équerres de broche, avait pu supporter un chaudron plus lourd, il ne fallait pas toutefois risquer d'outrepasser la force d'un mince tuyau de tôle.

Quand on veut économiser la chandelle ou l'huile d'éclairage, on se contente du peu de lumière qui s'échappe des fentes du poêle. C'est ce que les Acadiens appellent "Veiller à la craque".

Le bois de poêle varie suivant la saison et suivant le besoin. On aura toujours sous la main un paquet de bois sec, même en été, pour allumer rapidement le poêle. Quand on ne possède pas d'allumettes à soufre pour allumer le feu, on se sert de la pierre à feu et du tondre. C'est ce qu'on appelait "battre le feu". Le tondre était une matière très inflammable tirée de la souche de vieux érables pourris dans un endroit sec. La moindre étincelle tirée d'une pierre ou d'une pièce d'acier pouvait mettre le feu au tondre. Dès que la première flamme jaillit du tondre, on place sur cette flamme des brindilles de paille ou d'éclisses de bois sec. On peut ainsi allumer le poêle, le matin.

Dans certaines régions, les gens allaient emprunter un tison enflammé, dès qu'ils voyaient la fumée s'échapper du toit d'un voisin. En hiver, on entretenait le feu dans le poêle, même la nuit. Le poêle reprenait vie dès que l'on y déposait un nouveau quartier de bois.

Le paysan dispose de bois mou et de bois franc. Même si le bois a séché, on en a fendu les plus grosses bûches. Il sèche plus vite et encombre moins le "feu" du poêle. En hiver, on placera dans le poêle une grosse bûche de bois franc, tard le soir, et l'on fermera la clé du tuyau pour que le bois ne brûle pas trop rapidement et maintienne une chaleur égale, toute la nuit.

Tout bon paysan qui fume possède des pincettes pour allumer sa pipe à un tison. Il se prépare aussi d'avance des "allumettes" de cèdre qu'il enflammera dans le poêle pour en allumer sa pipe. La qualité du cèdre ajoute un arôme spécial au tabac. . . même canadien!

Pincettes à tison

Chapitre 3

LES
MEUBLES

En entrant dans leur première demeure de poutres rondes, nos anciens paysans n'oubliaient jamais de pendre à l'un des murs la croix de tempérance, une image de la Sainte Famille et un rameau bénit. C'est au pied de ces insignes religieux que les membres de la famille — même réduite à deux personnes — se réunissaient chaque soir, avant l'heure du coucher, pour y réciter la prière et le chapelet. Quand on s'attendait à recevoir des visiteurs pour la veillée, on récitait ces prières immédiatement après le souper.

Huche à pain

Même si la paysanne ne possède pas de four à pain, elle tiendra à avoir, dans sa cuisine, la huche à pain. C'est une boîte sur pattes (ou encastrée dans un meuble) qui servira à boulanger la pâte à pain (ou à pâtisserie); le couvercle qui sert à fermer la boîte servira de table pour terminer le pétrissement de la pâte et la mise du pain en casserole. Une fois la cuite de pain enfournée, le meuble sert de table où l'on entasse le pain, ou bien où l'on dépose certains ustensiles pesants.

Banc-lit

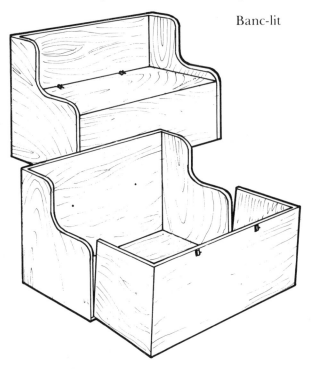

Peu à peu, les meubles apparaîtront dans la nouvelle maison: bancs, banc-lit, chaises droites, berçantes. . . berceau de bébé. Si la famille se compose déjà de quelques membres, on verra assez tôt les couchettes de tout genre, le lit à baldaquin dans la chambre des parents; ces derniers ne manqueront pas de confort sur un "lit de plume" qui recouvre la paillasse. Un peu partout, on retrouve des coffres de cèdre pour déposer habits, couvertures, laizes à plancher ou catalognes. Au cours du premier hiver, le paysan confectionnera une armoire pour y remiser la vaisselle et les ustensiles de cuisine. Dans toutes les cuisines, on placera, près de l'armoire, une table ou sorte de comptoir où on lavera les assiettes et les plats, après chaque repas. Très tôt aussi on verra apparaître un rouet et parfois un métier à tisser. Il arrive souvent que les premiers "colons" ou pionniers reçoivent l'aide des parents pour filer la laine et tisser l'étoffe.

Il y a un meuble dont on ne peut se passer longtemps; c'est la cuve à laver et le battoir (battoué). La cuve est faite de cèdre, suivant une technique assez simple. Le battoir est une palette de bois d'un certain poids qui sert à battre le linge sur une planche, de façon à le débarrasser de la crasse. L'été, le lavage se fera facilement près de l'étang ou du ruisseau. Après avoir fait tremper le linge sale dans l'eau courante, parfois dans la cuve contenant de l'eau savonneuse, la paysanne joue du battoir pour

Cuve et battoir

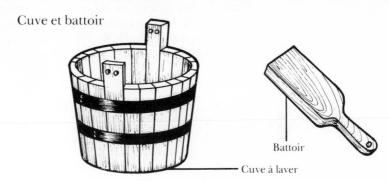

Battoir

Cuve à laver

nettoyer son linge. Le battoir fut tôt remplacé par la "planche à laver", ou surface ondulée (zinc ou vitre) qui servait à frotter le linge trempé et savonné en vue d'en enlever la crasse. Mais il fallait ensuite tordre le linge, en le tirant de la cuve. Au début, on tordait les pièces à la main, mais, surtout quand il s'agissait de nappes ou de couvertures, c'était une tâche éreintante et meurtrière pour les mains. On inventa donc une essoreuse, ou tordoir (appelé *tordeur* par nos bonnes gens) qui consistait en deux cylindres (rouleaux) roulant en sens inverse (un roulait aux dépens de l'autre) et dont la fonction était de presser la pièce de linge pour en chasser le plus gros de l'eau. On fixait le tordoir sur le bord de la cuve, on pliait la pièce de linge sur elle-même (si elle était assez mince) et on l'introduisait entre les deux cylindres que l'on actionnait au moyen d'une manivelle. Les rouleaux surveillés par deux ressorts réglables

Planche à laver et tordoir

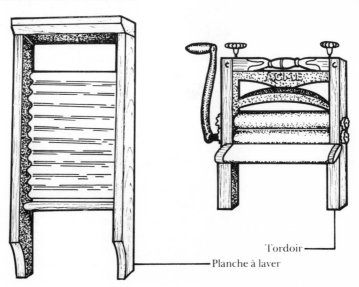

Tordoir

Planche à laver

pouvaient essorer des étoffes de différentes épaisseurs, suivant la volonté de la maîtresse de lavage. Le linge en sortait essoré et prêt à épingler sur la "corde à linge" ou à étendre sur l'herbe. Ce genre d'essoreuse n'est pas tout à fait disparu, mais fonctionne depuis longtemps à l'électricité. Quand on se procurera une laveuse mécanique, soit à simple levier ou à système rotatif, la ferme aura déjà joui d'un certain développement et la maison aura acquis un certain confort.

Laveuse manuelle

Laveuse mécanique

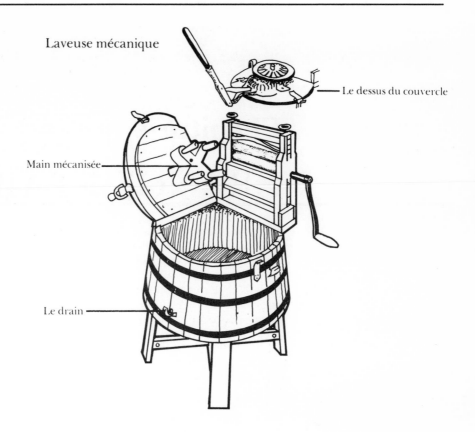

Le dessus du couvercle

Main mécanisée

Le drain

Chapitre 4

GRANGE-ÉTABLE

Une fois la maison bâtie, le paysan pensera à son étable et à sa grange. La construction de cette autre bâtisse devra être planifiée à l'avance. Où bâtir? À un endroit plus élevé que la maison, le purin affectera peut-être l'eau du puits. Comment bâtir? Souvent on pourra concentrer en une seule bâtisse des pièces servant à plusieurs usages: étable pour chevaux, pour bêtes à cornes; bergerie, porcherie, poulailler. Souvent la porcherie sera séparée; parfois la bergerie ne sera qu'un appentis avec murs presque à claire-voie.

Entrée de "batterie" au 2e étage

Il faut penser à la grange, où l'on déposera le foin, le grain, où l'on fera le battage et conservera la paille après les battages. On décidera si "la batterie" (partie pontée pour le battage) sera au second ou au premier étage. Dans le premier cas, le paysan bâtira la grange au pied d'une colline ou d'un monticule. La porte principale de la batterie regardera la montagne d'où arrivera la voiture chargée de grain ou de foin. Un pont relie alors le monticule à la "batterie". Ce pont pourra servir de porche où l'on abritera les voitures, ou bien où l'on détellera les chevaux. Très souvent l'étable (vaches et chevaux) prendra une première partie de la grange. Au-dessus des animaux, on entassera le foin et le grain (que l'on battra au fléau); plus bas que la batterie on pourra entasser le foin ou les grains dont on nourrira les animaux sans se préoccuper de les battre (mélange de pois, de blé ou d'avoine, parfois de seigle ou d'orge).

Quel que soit le style de grange adopté, cette bâtisse contiendra essentiellement une "batterie" (parfois deux) et des tasseries (lieu où l'on entasse foin ou grain), des garde-grain (sorte de mur à hauteur d'homme, de chaque côté de la "batterie"), une ouverture dans le mur du fond (en face des portes) pour aérer, chasser la poussière pendant le vannage ou le battage. En général, cette "batterie" comportera une sorte de corridor où l'on déposera les déchets de balle ou de paille destinés à la litière des animaux. C'est là aussi que l'on remisera d'ordinaire l'avoine destinée aux chevaux, le son ou la moulée pour les vaches, la nourriture des volailles. Si la grange est attenante à l'étable, un corridor permettra de passer de la réserve de fourrage au local des animaux. Souvent, c'est le long de ce corridor que le fermier dispose les harnais des chevaux (ou des boeufs).

Quant au toit de la grange (ou de la grange-étable), il peut admettre différents styles, toit très pointu ou toit manzard. Il faut que le paysan décide du style avant d'ériger sa charpente. S'il multiplie les lambourdes transversales dans le toit, il devra dire adieu à la "fourche" mécanique qui se promène à la longueur du toit pour décharger le foin ou les gerbes que la voiture apporte dans la batterie, au temps des récoltes ou des battages. Les poutres empêcheront les poulies de fonctionner normalement. S'il supprime les poutres transversales, le toit en sera affaibli. Il lui faut trouver la juste formule adaptée aux besoins de sa grange.

À mesure que la ferme se développera, le paysan utilisera de plus en plus d'outillage, de machines agricoles, de voitures pour l'hiver et l'été. Il lui faudra prévoir, à l'intérieur ou à l'extérieur de la grange, une remise où il rangera ses voitures ou son outillage de ferme (ou de chantier). Parfois cette remise sera placée sous une partie de la grange, surtout si la "batterie" est au second étage. Souvent cette remise sera un peu éloignée de l'étable et sera accolée à la bergerie, au poulailler ou à la laiterie. La remise est d'ordinaire constituée d'une charpente et d'un toit. Si elle s'adosse à une autre bâtisse, un large toit suffit pour protéger traîneaux, voitures, instruments aratoires contre la pluie et le soleil. En hiver, la remise abritera surtout les voitures et l'outillage d'été; en été, elle abritera surtout les voitures et l'outillage d'exploitation forestière. À mesure que l'outillage augmente, le paysan devra agrandir sa remise ou ses remises.

De façon générale, les talents du paysan apparaîtront dans le soin qu'il prend de son outillage, de ses clôtures, de l'allure de la maison, de la grange et des autres bâtisses. La négligence sera souvent le symbole de la pauvreté. Si les voitures ou les instruments aratoires sont abandonnés dans le champ, au bord de la forêt, sans ordre, sans protection, le paysan est sur le chemin de la pauvreté et parfois de la ruine. Le vrai paysan doit profiter des "temps morts" des jours de pluie, ou des rares loisirs que lui laisse le travail de la ferme, à chaque saison, pour améliorer, réparer, peinturer, produire un autre instrument dont il aura besoin, le printemps ou l'été prochain.

La principale caractéristique de l'étable, est la protection des animaux contre l'humidité et le froid. La grange peut accepter des murs non hermétiques; l'air ou la ventilation empêchera le fourrage de se détériorer.

La grange et l'étable seront pourvues de nombreux ventilateurs, sortes de cheminées de bois destinées à la circulation de l'air frais. En général, le ventilateur est surmonté d'une girouette où l'on apercevra la forme d'un cheval ou d'une bête à cornes.

Tout en veillant à la construction de sa maison, de sa grange et ses dépendances, le paysan a défriché une plus grande surface; son troupeau s'est agrandi.

Chapitre 5

LES DÉPENDANCES

Nous avons fait allusion, plus haut, à certaines dépendances que le paysan accolait à l'étable ou à la grange. Mais, à mesure que la ferme s'agrandit, à mesure que les besoins se font sentir, on voit une foule de petites bâtisses s'élever entre la maison et la grange. Ce sera le cas du four à pain (fournil), de la boucanerie, du caveau à légumes, de la laiterie et de quelques autres petites constructions qui sortent de terre avec les années.

LE FOUR À PAIN TRADITIONNEL

À quelques pas de la maison, le paysan verra, dans ses premiers temps libres d'été (ou d'automne), à bâtir un four à pain et ensuite une cabane à four ou même un fournil où la paysanne pourra boulanger et faire lever le pain avant de l'enfourner.

Comme les éditions Prise de Parole ont publié, en 1981, une monographie *Le four de glaise*, nous y renverrons nos lecteurs, tout en donnant ici un cadre relatif à la construction du four à pain traditionnel. Il y sera question

a) de la base
b) de l'âtre de glaise et de la porte de fonte
c) du gabarit
d) de la pose de la glaise
e) du séchage de la glaise
f) de la cabane à four ou du fournil.

a) Le four doit reposer sur une base solide, elle-même érigée sur un terrain sec ou à l'écart des inondations ou de l'humidité. Cette base peut être de pierre; elle peut aussi consister en un caisson de bois rempli de pierre des champs ou de pierre concassée.

b) Cette base, destinée à supporter le poids de plusieurs mètres cubes de glaise, se terminera, à la partie supérieure, par l'âtre ou plate-forme de glaise sur laquelle cuira le pain. La coupole du four, ou partie arrondie, reposera sur cette plate-forme constituée de glaise d'abord pétrie et ensuite massée sur la base.

La glaise doit être aussi pure que possible, c'est-à-dire exempte de gravier, de terre ou de sable. Elle peut être bleue ou rouge, suivant la région. On boulange la glaise sous les pieds ou au moyen de pilons, et ensuite on l'étend sur la base de pierre dont les interstices ont été comblés de gravier. Cette couche de glaise de plusieurs centimètres (15 ou

18) d'épaisseur emmagasinera la chaleur pendant la flambée du bois dans le four.

Si l'on s'est procuré une porte préfabriquée — les compagnies de poêles domestiques fabriquaient des portes de four en fonte, avant 1860 — il faut mettre la porte en place au moment où l'on construit l'âtre de glaise. Un habitant habile pouvait aussi tirer partie d'une vieille porte de poêle (ou d'une pièce d'acier) pour aménager son four.

c) Une fois l'âtre construit et la porte mise en place, le paysan doit construire (sur l'âtre) le gabarit ou charpente de branches flexibles

Gabarit de four

(coudrier, hart rouge [cornouiller stolonifère], fines branches de bouleau) de formes arrondies et offrant grossièrement l'apparence d'un castor accroupi. Sur le plan horizontal, le gabarit prend la forme d'une sorte d'ellipse. Cette charpente, destinée à assurer une forme élégante à la coupole du four, disparaîtra dans le feu, lors des premières flambées du four.

d) Quand le gabarit est terminé, on dispose, sur cette ossature, des écorces de bouleau, de sapin (ou des morceaux de jute) ou tout matériel qui empêchera la glaise de glisser à travers cette charpente à claire-voie.

Vient le pétrissage de la glaise. Cette opération nécessitera une main-d'oeuvre un peu plus abondante. Ce sera le temps de faire appel à la corvée, meilleur procédé pour fabriquer la coupole de glaise en une seule journée.

Une équipe pétrit la glaise, y mélange du foin ou de la paille; le maître d'oeuvre du four entasse la glaise autour du gabarit. Il doit y placer une couche de glaise de 20 à 25 centimètres d'épaisseur et bien s'assurer que tous les pains de glaise adhèrent les uns aux autres pour éviter les vides ou les faiblesses de parois. On devra tasser la glaise à coups de poing ou à coups de masse pour s'assurer qu'aucune poche d'air ne puisse affaiblir les parois au cours du séchage de la glaise.

Coupole en
construction

Suivant la technique régionale, le paysan plaçait un tuyau sur son four ou ne laissait que la porte comme seule ouverture.

e) Même quand la coupole est terminée, que la glaise habille complètement le gabarit, il faut la laisser sécher pendant deux ou trois jours, avant d'allumer la première flambée dans le four.

Il fallait que le paysan veille à ce que l'intérieur et l'extérieur de la coupole sèchent en même temps. Pour ce faire, il protégeait l'extérieur contre un soleil trop ardent (en le recouvrant d'un faux toit ou d'une toile) et activait le courant d'air à l'intérieur, par exemple en y allumant un tout petit feu partiellement recouvert par une tôle.

Après deux ou trois jours de séchage, le paysan allumait une première flambée qui durcissait la glaise et faisait disparaître le gabarit de bois.

Il est à remarquer que l'on cuisait le pain sur l'âtre une fois nettoyé des braises et de la cendre.

f) Quand le four était prêt à utiliser — et même pendant les heures qui suivaient la construction du four à pain — le paysan élevait, au-dessus de son four, une cabane destinée à protéger la glaise contre la pluie et les effets du soleil. Cette cabane pouvait se composer d'un simple toit à deux versants reposant directement sur la terre ou sur des poteaux.

Plusieurs paysans entouraient leur four d'une cabane plus vaste et protégée contre la pluie et la neige. C'était le fournil. C'est là que la paysanne pouvait boulanger son pain, tout en chauffant son four, le placer dans des casseroles et le laisser "lever" ou fermenter avant de l'enfourner. Le fournil servait aussi à abriter une certaine quantité de bois sec et des outils (main [longue pelle], grattoir, réceptacle de braises. . .) nécessaires au four.

Dorénavant, chaque semaine, la paysanne chauffera le four pendant la préparation du pain, y cuira la fournée de pains de la famille et profitera de la bonne chaleur du four pour y déposer, après la cuisson du pain, le pot de grès rempli de fèves au lard.

Le four de glaise

LE CAVEAU À LÉGUMES

Le principe du caveau à légumes consiste à préparer un local frais, l'été, mais protégé contre le froid, l'hiver. Le caveau à légumes sera donc isolé contre la chaleur du soleil et les intempéries de l'hiver. Dans une atmosphère ni trop chaude ni trop froide, les produits de la terre se conservent sans pourrir ni sécher. Il importe donc au paysan de se bâtir un bon caveau, s'il veut manger des légumes frais tout l'hiver, ou conserver ses produits frais en attendant la meilleure occasion de les vendre ou de les échanger.

Plan d'un caveau
à légumes

Le caveau à légumes ne doit pas être placé dans un terrain humide. Là où il n'y a pas de côteau ou de colline, on pourra choisir un terrain sec, élever d'abord des murs de poutres (équarries ou rondes) d'une hauteur supérieure à celle d'un homme, formant un rectangle de dimensions correspondant aux besoins du fermier. S'il prévoit, pour l'avenir, de grosses récoltes de patates ou de légumes, son caveau doit avoir des proportions assez vastes. Une fois ces murs élevés, il verra à placer sur ces murs un toit très fort à deux pans légèrement inclinés, pour bien protéger le caveau contre l'eau. Pour renforcer ce toit, il placera une grosse poutre centrale en vue d'appuyer les chevrons qui reposent à une extrémité sur les murs. Il sera prudent de renforcer cette poutre centrale pour une ou deux colonnes appuyées sur le plancher du caveau. Si ces piliers ou colonnes sont en plein centre du caveau, il sera impossible d'y faire pénétrer une voiture. Parfois, il sera utile d'introduire une voiture ou une brouette à deux roues pour décharger ou charger les sacs de légumes. Pour libérer l'allée centrale du caveau, on pourra faire porter le poids de la poutre maîtresse du toit sur deux rangées de supports qui serviront en même temps de fausse charpente aux caissons qui retiendront les patates ou les légumes chaque côté de l'allée. Ces charpentes doivent être très fortes à cause du grand poids de terre qu'elles vont supporter. En effet, ne l'oublions pas, une fois cette charpente élevée, il va falloir l'entourer et la couvrir de terre (sable). Le paysan va amonceler du sable ou de la terre autour et sur cette forte bâtisse, de façon à en faire une petite colline artificielle. Avant d'accumuler la terre sur le toit du caveau, le paysan aura dû recouvrir soigneusement la charpente d'une couverture imperméable: lattes de bois et écorces de bouleau. Il

Ventilateur de caveau

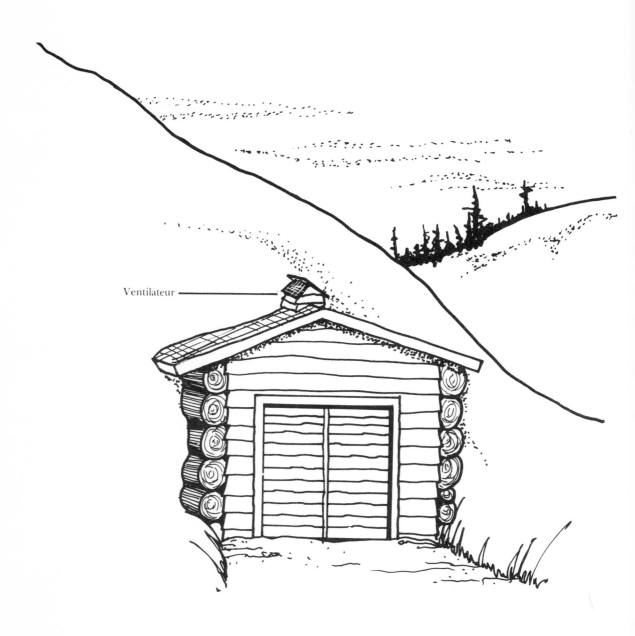

Ventilateur

verra aussi à réserver une place destinée à une sorte de cheminée en bois pour servir de ventilateur et combattre l'humidité. Quand le toit sera recouvert d'une épaisse couche de sable, le caveau ressemblera à une immense veillotte oubliée dans le champ et sur laquelle l'herbe a poussé.

Cependant, on constate que l'on peut pénétrer sous cette coupole; une large porte permet même à une voiture d'y entrer. En ouvrant cette porte, on en aperçoit une autre à un mètre vers l'intérieur du caveau. Avant l'hiver, on introduira entre ces deux portes une grande quantité de foin ou de paille pour empêcher le froid de pénétrer dans le caveau et y affecter les légumes.

Si le paysan jouit d'un flanc de monticule dans le voisinage de la maison ou de la grange, il en tirera parti pour s'y bâtir un caveau à moindre frais. Il lui suffira de creuser une sorte de large tranchée s'enfonçant dans la colline. Au moyen de poutres ou de pierres, il recouvrira les murs de cette excavation. Au sommet de ces murs, le paysan bâtira la charpente d'un toit solide et étanche. Le sable retiré de l'excavation lui servira à recouvrir ce toit qui sortira comme une lucarne du flanc de la côte. On reconnaîtra le caveau au ventilateur qui s'élance de cette bâtisse souterraine.

Si le paysan est seul, si son outillage est entièrement manuel, la construction du caveau à légumes pourra prendre plus d'un été. Il peut arriver que, au cours des premières années, la ferme soit trop petite pour produire une grande quantité de légumes. Mais le paysan prévoyant ne risquera pas de faire une grosse récolte sans pouvoir la protéger contre la neige ou le froid.

D'autre part, si le caveau à légumes est bâti avant les grosses récoltes de patates, le paysan pourra toujours l'utiliser en y logeant le surplus des produits du potager ou certaines denrées (confitures, conserves) qui exigent une température plutôt fraîche et stable. Pendant l'été, le caveau sera l'endroit tout indiqué pour conserver le lait, les viandes salées ou fumées. Il s'agit de bien fermer les portes du caveau, et la chaleur n'y pénètre pas.

Parfois le paysan tiendra à s'organiser une bâtisse où il pourra disposer une réserve de glace naturelle. La bâtisse devra être isolée le plus possible contre le soleil et la chaude atmosphère de l'été. Il pourra utiliser, un certain temps, une ancienne bâtisse dont les murs sont de poutres équarries, ou une bâtisse à murs doubles remplis de terre, de mousse ou de bran de scie. On coupe la glace au moyen d'une épaisse scie, vers la fin de l'hiver sur un lac, un étang ou une rivière. La glace est débitée en cubes, transportée dans la voiture jusqu'à la glacière où, à chaque rang de cubes, on répand sur la glace une matière isolante comme le bran de scie ou la tourbe sèche trouvée dans certaines couches de terrain. Si l'on possède un meuble à glace dans la cuisine, on viendra tous les trois ou quatre jours, chercher une légère provision de glace à la glacière en enlevant à la pelle une partie de la matière isolante. Si la bâtisse est isolée contre la chaleur, et si l'on entretient le produit isolant sur les cubes de glace, on peut conserver tout l'été, viande, produits laitiers et nourriture sur la glace sans craindre les pertes d'aliments.

LA LAITERIE

Dès que le nombre de vaches sera suffisant pour produire une quantité de lait dépassant les besoins de la maisonnée, le paysan se bâtira une laiterie. Ce sera une bâtisse de mesures assez restreintes, mais une dépendance assez vaste pour abriter tous les contenants et instruments relatifs au lait: chaudières (ou seaux), couloirs, crémeuse, centrifuge, baratte, jarres à lait, moule à beurre. C'est une dépendance que l'on tend à garder plutôt fraîche pour en éloigner les mouches. Plusieurs fermiers plaçaient leur laiterie à proximité d'un bosquet ou faisaient croître des lierres sur ses murs pour y assurer une certaine fraîcheur. On avait soin de garnir les rares fenêtres et la porte d'un grillage (coton ou fil d'acier) pour éviter l'entrée des mouches.

LA "BOUCANERIE"

Mais il était une dépendance que les mouches n'osaient pas fréquenter: la "boucanerie", cette cabane où le paysan préparait le poisson ou la viande au moyen de la fumée. On sait que la viande fumée peut se conserver plus facilement et ajoute une variété dans le menu de la famille. On sait, par contre, que les mouches ou les insectes considèrent la fumée comme un ennemi irréconciliable. Si l'on parvient à empêcher les mouches de déposer leurs oeufs sur la viande, on pourra la conserver. Le paysan peut ainsi consommer du poisson et de la viande sans les conserver dans la saumure. Il les conserve au moyen de la fumée.

Le fermier installe donc sa "boucanerie" parmi ses autres bâtisses, à peu de distance de la maison, de façon que, de temps en temps, un membre de la famille puisse y jeter un coup d'oeil. La "boucanerie" est une cabane de dimensions assez réduites; on n'y remarque une seule porte et un ventilateur, sorte de cheminée ou cadre percé de trou pour activer faiblement la combustion d'un feu léger au niveau du sol, dans la cabane. Une perche (ou quelques perches) munie de crochets traverse la cabane près du toit de cette dernière. C'est sur ces crochets que l'on place la nourriture à fumer: viande, lard ou poisson. Le feu qui brûle lentement au ras du sol est alimenté par du bran de scie d'érable de préférence. Dès que le feu est allumé, on le couvre de cette sciure de bois dur; il s'en dégage une fumée régulière qui monte vers le ventilateur. Le courant de fumée baigne constamment les viandes ou le poisson que supportent les crochets. Pour prévenir toute corruption, on a soin de tremper la viande et le poisson dans une faible saumure avant de les déposer dans la "boucanerie". La plupart du temps, on fait sécher le poisson au soleil avant de le faire fumer. Encore là, on a légèrement salé le poisson avant de l'abandonner au soleil sur le séchoir (ou le vigneau).

La morue ou le hareng fumé peut se manger comme amuse-gueule, entre les repas et sans autre assaisonnement. Quant à la viande et au lard fumé (jambon), ils constituent un plat très apprécié, surtout frit avec des oeufs. La qualité de la viande fumée vient, en grande partie, du bran de scie et du courant constant mais peu abondant de fumée. D'où nécessité de surveiller souvent le jet de fumée de la "boucanerie".

LA PORCHERIE

Quant à la porcherie, le paysan tenait à ce qu'elle soit assez éloignée de la maison, à cause des senteurs peu agréables qui s'en détachaient et à la quantité de mouches qu'elle attirait. La porcherie comprenait deux parties: une cabane pour abriter des porcs et un parc clôturé où s'ébattaient les porcelets ou les autres porcs que l'on engraissera plus tard en vue de la boucherie. Il était assez rare que le paysan laisse ses porcs (ou son porc) errer sur la ferme ou dans les bois; il aurait pu s'y nourrir de racines ou d'herbages, mais la quantité d'énergie dépensée à chercher la nourriture aurait empêché l'animal de se développer et d'engraisser. Les porcs que l'on voulait engraisser pour produire le lard étaient gardés dans un local assez restreint à l'intérieur de la porcherie. On les alimentait de pois ou de grain moulu jusqu'à la saison de la boucherie. Les autres porcs pouvaient sortir au grand air, remuer le sol de leur groin, s'ébattre au soleil ou s'enfoncer dans des trous de boue. En général, on nourrissait ces porcs en liberté des restes de la table ou de patates crues ou cuites. À l'intérieur de la porcherie, le paysan disposait souvent d'un poêle ou d'un chaudron placé sur un foyer de pierre ou de brique. C'est là qu'il réchauffait ou cuisait la nourriture de ses porcs.

Quand la porcherie était assez vaste, c'est là aussi qu'on procédait à l'abattage des porcs; pendant la saison des mouches, on préférait un endroit plus frais et plus ventilé; souvent, on utilisait la cuisine d'été contiguë à la maison.

LA BERGERIE

En général, la bergerie n'exigeait pas une bâtisse éloignée de l'étable ou de la grange. La plupart du temps, les moutons hivernaient dans un appentis constitué d'un toit et de murs à claire-voie. Les moutons trouvent leur nourriture dans les champs jusqu'en décembre. En hiver on les rassemblait dans la bergerie où on les nourrissait avec des "besats" ou résidus de pois battus. Ils préféraient s'abreuver en mangeant de la neige. D'ailleurs, un mouton pourrait hiverner dehors — à cause de sa laine — à condition de lui procurer un peu de paille ou de foin.

Les paysans veillaient à ce que la bergerie soit plutôt froide; la laine des moutons, disaient-ils, n'en était que plus abondante et plus fine, le printemps venu. On nourrissait les moutons au moyen d'un râtelier ou

Râtelier pour moutons

sorte de crèche en forme de "V" dont un des côtés est constitué de longs bâtons plantés dans des supports, à huit ou dix centimètres d'intervalle. Le mouton ne pouvait passer que son museau à travers la râtelier pour saisir sa nourriture.

LE POULAILLER

C'est une autre dépendance qui trouvera sa place à faible distance de la grange. Au début, le colon ne possédera que trois ou quatre volailles. Dès que les poussins augmenteront le nombre de la gent ailée, il faudra organiser un poulailler. Mais gare aux belettes, aux rats et aux renards, si cette dépendance voisine de trop près la forêt! Si le poulailler ne profite pas de la chaleur d'autres animaux (ou d'une source de chauffage), en hiver, les poules ne pourront pas survivre longtemps, même si elles peuvent abrier leurs pattes dans la plume.

Le poulailler devra comporter des perchoirs pour la nuit et des nichoirs pour que les poules aillent y déposer leurs oeufs. À moins de trouver un abreuvoir à proximité du poulailler, il faut entretenir un baquet d'eau à la portée des volailles. Il est prudent de maintenir un chien dans le voisinage du poulailler pour qu'il avertisse le propriétaire de la visite nocturne d'un déprédateur.

Si le colon utilisait une poule pour faire couver des oeufs de canard ou d'oie, il assistait à des scènes pathétiques quand les faux rejetons de la poule se lançaient à la nage dans le ruisseau ou l'étang. Les enfants jouissaient assez volontiers de la déception de la couveuse.

Enfin, c'est du poulailler que partait, le matin, le chant du coq annonçant le réveil de toute la ferme y compris du fermier. C'était un réveille-matin des plus fidèles!

"BÉCOSSE"

Notre liste de dépendances ne serait pas complète si l'on ne mentionnait pas la bécosse [back house] ou les cabinets de campagne. C'était une simple cabane de planche (ou de bois équarri) bâtie à quelque distance de la maison sur une fosse assez profonde. À l'intérieur, un simple banc de planche percé de deux trous de différentes grandeurs pour recevoir la visite des grands ou des petits. Souvent cette bâtisse se trouvait au bord du bois, de préférence sur le bord d'un ravin. C'est là qu'aboutissaient les vieux papiers, les vieux journaux, surtout les épais catalogues que l'on avait fini de feuilleter.

Chapitre 6

LE
TROUPEAU

Il est assez difficile de décrire le troupeau d'un colon de l'époque de 1860. Le colon arrive sur son lot, la hache sur l'épaule et pourvu d'un sac contenant un morceau de lard salé et un ou deux pains, peut-être une douzaine de biscuits secs. Il lui faut abattre les premiers arbres de sa future ferme, bâtir un camp rustique en manoeuvrant les billots au dépens de ses seuls muscles. Quelques semaines plus tard, il ira peut-être chercher un boeuf de trait tirant une charrette ou un simple traîneau plat appelé "stone-boat" par nos campagnards.

Il ne sera pas question de troupeau réel avant une dizaine d'années, la période de défrichement et de construction terminée. Un troupeau ne peut vivre sans pâturage l'été, sans fourrage l'hiver. Le colon devra donc disposer de champs pour le pâturage, de champs ensemencés et de "saisons" (prairies) productrices de foin, avant de penser à l'organisation d'un troupeau.

Pendant les premières années, le colon possède un boeuf ou un cheval, une vache à lait, quelques volailles et peut-être un jeune porc. Mais à mesure que la forêt recule, les champs agrandissent. Même si les derniers abattis ne sont pas encore essouchés, le colon pourra ajouter à son troupeau, chaque année, une vache ou une génisse qui pourra se nourrir des feuillages et des touffes d'herbe qui poussent entre les souches. Pendant ce temps, la saison de foin s'est agrandie, la pièce d'avoine a progressé, les légumes poussent bien dans le sol nouvellement labouré. La grange et l'étable ont acquis une autre section pour y loger foin, paille, bêtes à cornes et cheval.

Disons, une fois pour toutes, que le paysan de la fin du siècle dernier ne faisait pas l'élevage des chevaux, sauf dans le cas très rare où les contracteurs de l'exploitation forestière locale ne décident d'acheter des "chevaux canadiens" chez tel colon plutôt que d'acheter des "broncos" des plaines de l'Ouest. Règle générale, le colon élèvera un poulain pour remplacer un vieux cheval ou un boeuf de trait.

Le gros de son troupeau consistera surtout en vaches laitières et en veaux destinés la boucherie. Cependant, le nombre de vaches laitières devra tenir compte de la main-d'oeuvre. Si le colon est seul avec sa femme ou n'a pas un garçonnet ou une fillette pour assurer la traite des vaches deux fois par jour, il va être forcé de réduire le troupeau. Cette traite des vaches prend un temps précieux, surtout à l'époque des récoltes.

Le colon choisira pour son troupeau une pièce de terrain assez vaste et abondante en herbe ou en feuillages. Il verra à ce que la clôture soit solide pour empêcher les animaux d'aller détruire la "saison" de grain, ou de vagabonder dans les bois. Souvent, il n'a pas le temps de réparer sa clôture; s'il possède un animal "sauteux", il fabriquera, au moyen de planches ou de rondins, un carcan dont il entourera le col de la bête. Cet ornement embarrassant enlèvera à l'animal la tentation de sauter par-dessus la clôture ou de passer à travers les pieux.

Pour mieux retrouver ses vaches en cas de brume ou de désertion, le colon attachera une clochette au cou de deux ou trois bêtes. Il pourra ainsi mieux détecter l'endroit où les animaux se sont retirés ou enfuis. Dès que l'aîné des garçons commence à rendre service, sur la ferme, il aura comme tâche d'aller "chercher les vaches" chaque soir à telle heure. Le jeune paysan prendra vite l'initiative de se faire aider d'un chien qui se fera facilement obéir du troupeau. Il apprendra lui-même à ne pas aboyer et à ne pas précipiter inutilement la marche lente des vaches dont le pis est gonflé de lait. Ce chien reconnaîtra sans tarder les génisses et le chef du troupeau, le taureau. Quand le troupeau est entré dans le clos de la traite ou même dans l'étable, les préposés à la traite du lait se présentent, leur petit banc sous le bras et la chaudière en main.

La traite terminée, on dirigera les vaches vers un autre parc peu éloigné de la grange; le colon aura moins de difficulté à les retrouver, le lendemain matin.

Tout l'été, chaque jour, le troupeau revient à l'étable, à moins que l'équipe préposée à la traite ne se rende dans le parc des vaches laitières à peu de distance de la maison.

À l'automne, dès les premières gelées, le troupeau ne sortira que peu de temps pour jouir du soleil et arracher au sol les dernières touffes d'herbe blanchies par le frimas.

Aussitôt qu'on a coupé le foin ou le grain dans un champ, on l'ouvre au troupeau au moins quelques jours pour laisser repousser l'herbe dans le pâturage et permettre aux bêtes de "glaner" les restes de foin ou de grain. Les récoltes terminées, presque toute la ferme est à la disposition des bestiaux.

Le colon compte sur son troupeau pour se procurer le lait, la viande, le cuir et la laine. Le troupeau de bêtes à cornes s'organisera avant celui des moutons. Même après trois ou quatre ans de défrichement, la forêt est encore à une faible distance; il y a danger que les ours ou les loups ne se servent avant le propriétaire du troupeau. C'est dommage! Le mouton mange tout ce qui sort du sol, herbe, feuilles, racines tendres et même des branches. Mais il a un vilain défaut, il peut difficilement maîtriser sa curiosité. Si une bête se présente dans le parc, il faut que le mouton aille voir de près ce visiteur. L'ours n'a qu'à se ramasser sur lui-même et attendre. Le mouton ne tardera pas à approcher son museau de la bête. Cette dernière n'a qu'à avancer la patte ou à ouvrir la gueule; il est trop tard pour regretter cette curiosité.

Le colon prudent attachera des grelots ou des clochettes au cou de ses moutons pour en effrayer les déprédateurs.

Signalons une autre habitude des moutons: ils suivent facilement un chef qui prend une nouvelle direction. Par exemple, l'automne, à l'approche des neiges, ils se joignent aux troupeaux des voisins et peuvent

Carcan de bête vicieuse

s'éloigner passablement de la ferme de leur propriétaire. D'où la nécessité de marquer chaque mouton de façon à le reconnaître. En général, on fait un trou dans une oreille, la droite ou la gauche. Parfois une légère entaille en forme de "v", à la partie supérieure ou inférieure de l'oreille faisait reconnaître le mouton de tel colon. Dans certaines régions, on exigeait que chaque marque choisie par tel colon soit consignée légalement dans un registre chez le juge de paix du canton[1]. Ainsi, beaucoup de contestations étaient évitées. On "marquait" les jeunes moutons, lors de la tonte, au printemps.

Avant la période moderne de l'automobile, c'était un spectacle impressionnant que de voir, sur la route, des centaines et des centaines de moutons s'en aller devant une voiture tirée par un cheval et conduite par un acheteur de moutons.

L'acheteur visitait les fermiers, leur proposait son prix, allait visiter le troupeau de moutons et choisissait ceux qu'il voulait acheter, pour la chair ou la laine. Dès que le choix était arrêté sur telle bête, l'acheteur saupoudrait une poudre coloriée sur la tête ou le dos de l'animal. Ces moutons achetés étaient conduits à la route où les attendaient deux ou trois garçonnets chargés de guider les moutons. En août ou en septembre, on pouvait voir certaines routes, même la route nationale (chemin du roi), encombrées de moutons qui se déplaçaient lentement, en bêlant. Quand ils atteignaient une ferme où il n'y avait pas de clôture le long de la route, c'était une course folle des moutons et des gardiens qui s'efforçaient de remettre le troupeau en marche sur la route.

L'acheteur conduisait ces moutons à tel endroit où il les vendait ou les expédiait par train ou par bateau.

Le paysan profitait souvent du passage de ce commerçant pour lui vendre ses brebis trop vieilles ou infécondes. Le prix des moutons variait d'une année à l'autre, suivant la demande plus ou moins grande des marchands de viande ou de laine.

Au début de l'hiver, le colon devait s'occuper de rapailler son troupeau de moutons et de le ramener à la bergerie. C'est à ce moment qu'il appréciait le geste de prudence qu'il avait posé en incrustant une marque à l'une des oreilles de ses moutons.

Quant au troupeau de porcs, il n'était pas très populeux. Chaque colon gardait quelques porcs pour ses propres besoins de chair et de graisse. Accidentellement, il pouvait en élever une quinzaine en vue de les vendre, à l'approche de l'hiver, à un contracteur de coupe de bois en forêt, ou à un commerçant local. S'il récoltait assez de grain et de légumes pour nourrir ses porcs, le fermier s'assurait un léger revenu, en vendant leur chair, argent comptant. Mais ce fermier devait auparavant investir du temps et de l'argent dans l'organisation d'une porcherie d'une certaine importance.

1. Jean-Claude Dupont. **Histoire populaire de l'Acadie.** p. 297ss.

Chapitre 7

LES
SEMAILLES

Les bâtisses se multiplient, les clôtures s'alignent le long de la pièce tantôt en culture, tantôt en friche ou en foin qui croît parmi les souches. Lors des premières semailles dans la terre nouvellement débarrassée des souches, le paysan a peut-être semé à la main quelques minots de blé et d'avoine. Il s'est probablement servi d'un râteau de sa fabrication pour recouvrir d'humus les grains qu'il vient de semer. Bientôt, il sent le besoin de se fabriquer une charrue, une herse et peut-être un rouleau, pour retirer de sa ferme le meilleur rendement possible.

Nous allons constater l'ingéniosité et la patience du colon qui va tenter d'ensemencer ses champs, d'abord avec des instruments aratoires primitifs, puis avec des instruments de plus en plus mécanisés. Remarquons qu'il n'a pas toujours produit lui-même les instruments les plus modernes, mais les compagnies productrices d'instruments aratoires ont souvent consulté l'expérience des colons pour perfectionner des machines dont l'inspiration avait été fournie par les paysans.

Charrue de bois

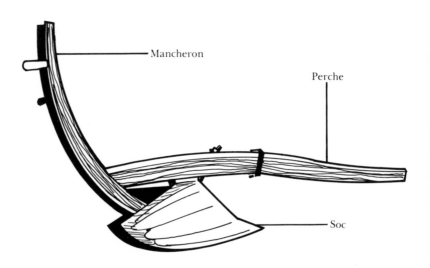

Mancheron

Perche

Soc

Pour fabriquer sa première charrue, le colon avait utilisé un principe très ancien: un tronc d'arbre auquel on a laissé une grosse branche, et une seconde, en sens opposé, pour maintenir la branche-soc vers le sol. En traînant cet arbre sur la terre, la branche remue le sol et y trace une sorte de sillon. C'était l'outil d'un premier homme qui pensa à faire des semailles.

La charrue de notre ancien paysan était formée d'une forte tige de bois à laquelle on joignait un bloc de bois portant une tige d'acier destinée à pénétrer en diagonale dans le sol et à le déchirer. Une autre pièce de bois en forme de versoir (oreille) permettait de retourner la tranche de terre ou de friche que la pointe d'acier venait de remuer.

Charrue de bois à versoir

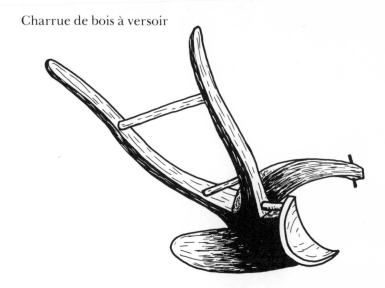

Un solide mancheron également relié à l'arrière du bloc de bois ou soc, permettait au laboureur de maintenir la pointe d'acier toujours dans la même direction et à la même profondeur dans la terre. Un cheval ou un boeuf tirait ce lourd instrument qui retournait tant bien que mal, rang après rang, la surface d'un champ en culture.

Charrue à coutre vertical

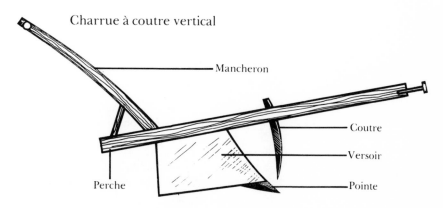

Mancheron

Coutre

Versoir

Pointe

Perche

Peu à peu, on améliora cet instrument primitif qui demandait beaucoup d'énergie à l'animal et au laboureur. On pensa à fixer devant le soc, une tige d'acier verticale reliée au timon. Le sol était divisé, tranché par cette sorte de couteau (coutre) et était ainsi préparé à se laisser tourner par le versoir. Dès que le forgeron s'installe dans un centre ou que le paysan s'est outillé pour marteler le fer, on protège le versoir de bois par des lamelles d'acier. Ce blindage le rend moins vulnérable à l'assaut des pierres cachées dans le sol.

Avec les années, on trouva sur le marché des charrues tout en métal (sauf les mancherons) formées de parties détachables et remplaçables. La perche (âge), la pointe, le frayon (lisse qui permet à la charrue de mieux glisser dans la terre), le versoir, les mancherons (manchons) et le coutre. C'était un instrument plus pesant, mais qui glissait assez facilement dans le sol et permettait de faire un labour plus régulier. À la fin du 19e siècle, on voit apparaître le coutre roulant, sorte de disque qui coupe le sol en offrant moins de résistance que le coutre fixe.

Charrue à coutre roulant

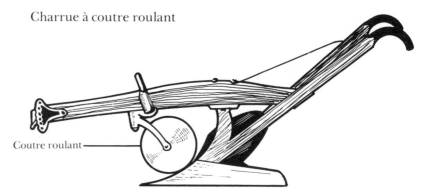

Coutre roulant

Vers la même époque apparurent les charrues à deux versoirs suspendus à un cadre sur roues. Cependant, le principe de la charrue à rouelles est très ancien. On utilisait la charrue à rouelles tôt sous le régime français, mais cette charrue s'accommodait mal des souches qui persistaient dans les pièces de labour. Cette charrue à rouelles et avanttrain se compose d'un essieu et de deux roues parallèles. Le soc et le versoir de la charrue sont supportés par la perche reposant sur cet avanttrain roulant. C'est un instrument assez long, très lourd et qui n'est pas utilisable pour labourer les petites pièces à cause de la difficulté à tourner cette longue machine.

La charrue est traînée par des boeufs ou des chevaux. Tout paysan, il est évident, ne possède par toujours une paire de chacun de ces animaux. Souvent il dispose d'un boeuf ou d'un cheval qu'il attellera de la façon la plus efficace, selon ses moyens et l'époque où il accomplit sa tâche.

Une fois le champ labouré, il faut herser; parfois cette opération se fera en deux temps: "décharger la terre" et herser. On déchargeait la terre quand il s'agissait d'un champ qui n'avait jamais été labouré ou qui avait longtemps servi au pâturage. Il fallait utiliser, lors de cette opération, une herse plus pesante et aux dents plus longues.

Herse à dents de bois

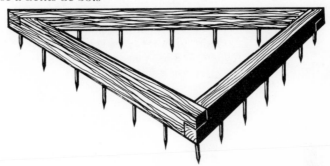

La herse primitive était formée d'un cadre de poutres de bois très lourdes, dans lesquelles étaient insérées des chevilles de bois d'abord, et ensuite, des chevilles en fer. Les chevilles étaient réparties sur plusieurs poutres placées en triangle ou en rectangle. Certaines herses avaient la forme d'un fer à cheval.

Herse en fer à cheval

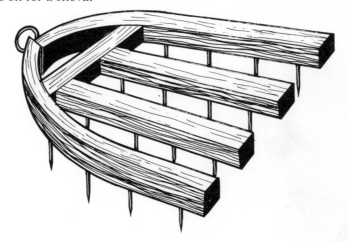

Souvent, on traînait une herse carrée tirée par un coin.

Herse carrée tirée par un coin

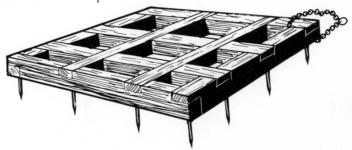

Avec le temps, on fabriqua des herses à cadres de métal et à dents d'acier. Certains types de ces herses comportaient deux trains de herses parallèles reliés par une sorte de penture. Cette herse était assez large et le grand nombre de ses dents la rendait difficile à utiliser. Souvent, surtout quand le fermier n'avait qu'un cheval, il fermait la herse en repliant une section sur l'autre. La herse devenait moins large et plus facile à tirer.

Herse pliable

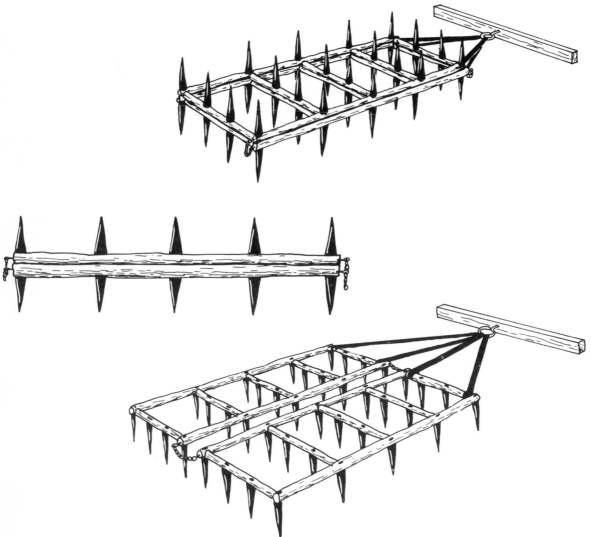

Le fermier donnait un premier coup de herse, semait son grain et ensuite donnait un second coup de herse pour "enterrer" la semence.

Avec le temps, les herses devinrent plus efficaces, plus faciles à acheter chez les commerçants. Il se vendait, vers 1890, des herses à dents d'acier flexibles. Ces bandes d'acier, semblables à un C, se fixaient à un cadre de métal et pouvaient prendre différentes positions suivant la façon dont on les fixait au cadre. Il fallait que chaque dent soit orientée individuellement; une bonne heure pour changer, à l'aide d'une clé spéciale, l'angle des dents. Certaines positions permettaient à la dent de pénétrer plus ou moins profondément dans le sol.

Herse à dents flexibles
Angle variable

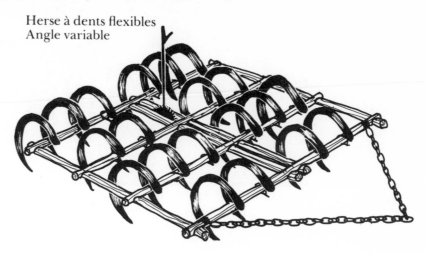

Peu à peu, un levier placé sur la herse permit au fermier de changer instantanément l'angle des dents de la herse. Parfois une dent s'accrochait à une pierre ou à une racine. La dent cassait sans trop retarder l'animal. Il fallait remplacer la dent; sinon le hersage était un peu défectueux.

Herse à dents flexibles

Vers la même époque, à la fin du 19e siècle, apparurent sur le marché les herses à disques, très efficaces et moins sujettes à fatiguer les chevaux. La herse à disques est composée d'un essieu à deux sections autour duquel roulent des disques concaves-convexes. Ces disques font le travail des anciennes dents de bois ou d'acier, mais demandent moins d'énergie de la part des chevaux. Un contrôle de leviers permet aux deux sections de fonctionner sur une ligne droite ou sur une ligne brisée, s'approchant un peu du V.

Herse à disques

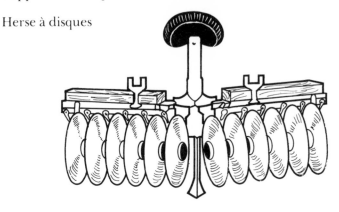

LE GRAIN

Au début du printemps, (25 avril, fête de saint Marc) avait lieu, à l'église paroissiale, la bénédiction des grains. Chaque paysan se faisait un devoir d'assister à cette messe au cours de laquelle le prêtre bénissait les grains de semences. Chacun apportait une poignée de différentes graines (même patates) qu'il faisait bénir et mêlait à son grain de semence, le printemps venu.

Dès que le sol a été hersé, il faut déposer la semence en terre. Pour le grain, le moyen le plus sûr est de semer à la main le grain déposé dans un sac (semoir) que le semeur porte sur l'épaule. Il marche à pas régulier et lance, dans un large geste, une poignée de grain qui se répand sur le sol labouré et hersé. Le semeur vient à savoir instinctivement quelle doit être la longueur du pas conjuguée avec la quantité de grain contenue dans la main. S'il dépose trop de grain en terre, il y a perte; les tiges trop tassées s'entrenuisent et une tige peut étouffer l'autre; si le semeur est trop avare de son grain, une partie du sol ne produit pas. Donc, le paysan doit apprendre à ne pas gaspiller le grain et à ne pas laisser trop de terrain improductif. Il viendra à savoir quelle quantité de blé, d'avoine, d'orge ou de pois il doit semer dans un acre de terre. Une terre peut être apte à produire le blé, une autre partie de la ferme sera meilleure pour les pois ou l'orge. Autant de points qui s'apprennent avec le temps, l'expérience ou les conseils de vieux fermiers.

Parfois, le paysan veut récolter, l'année d'ensuite, du foin, du trèfle ou du mil dans le champ qu'il ensemence aujourd'hui en avoine. Il lui faut semer son mil ou son trèfle en même temps que son avoine. Avant le coup de herse qui enterrera le grain, il sèmera son trèfle ou son mil. Encore ici, le moyen le plus simple est de semer ces graines à la poignée, en se promenant à pied dans son champ.

Assez tôt, après 1860, on connaît de petits semoirs semi-mécaniques qui permettent de semer ces graines d'une façon plus rapide et plus régulière. On dépose les graines dans un sac-entonnoir. Le semeur fixe la courroie à son épaule. La graine sort du sac par une sorte de grillage qui dirige les graines vers un disque strié mû par un engrenage que le semeur actionne à la main. Les graines qui tombent sur ce disque en mouvement sont projetées à une égale distance à droite et à gauche du semeur. La première année, seul le grain (blé ou avoine) va croître dans le champ. Les graines de mil ou de trèfle prennent racine, mais ne se développent pas au cours de la première saison. Dès le printemps suivant, le trèfle ou le mil croît en abondance et améliore la récolte de foin.

LE ROULEAU.

Le grain enterré à la herse n'est pas nécessairement dans une condition favorable à la germination. Un contact plus intime avec la terre activera le développement de tous les grains. Le paysan ne manquera pas de rouler son champ dans un double but: tasser le sol pour assurer une meilleure germination des grains, et régulariser la surface du champ en écrasant les mottes de terre, ce qui rendra la moisson plus facile.

Le paysan devra donc employer un rouleau pour aplanir la surface de son champ. En principe, le rouleau est formé d'un gros cylindre (diam. de 1,3 mètre) assez pesant, tiré par un boeuf ou un cheval. Le rouleau de la période de 1860 était fabriqué de planches de bois clouées à de solides cadres de forme arrondie. En pratique, le rouleau se composait de deux cylindres retenus ensemble par un même essieu. Cet essieu reposait sur un cadre de bois très solide auquel était fixée une paire de brancards ou un timon. Le paysan pouvait marcher derrière le rouleau ou s'asseoir sur un siège (parfois une chaise) installé sur le cadre, près des brancards. Le rouleau avait 3 m ou 3,6 m de largeur et pesait environ 136 kilogrammes . On pouvait lui ajouter (en plus du charretier) quelques sacs de sable pour en augmenter le poids. Dès la fin du 19e siècle, on vendait des rouleaux fabriqués entièrement d'acier, d'un diamètre inférieur aux cylindres de bois (1,7 mètre de diamètre), mais de poids à peu près semblable. Cependant le dispositif de coussinets à billes (ball bearings) rendait la traction de ce rouleau plus facile.

Section de rouleau de bois

Rouleau avec siège

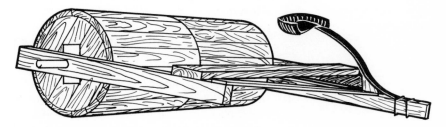

Rouleau d'acier

Il ne fallait pas que le rouleau se promène trop rapidement dans le champ; il fallait donner le temps à l'instrument de peser de tout son poids. L'animal souhaité pour exécuter ce travail était encore le boeuf ou un cheval assez patient pour travailler à un pas ralenti.

PATATES

Quant aux patates, on les sème d'une façon plus particulière. On ne sème pas de la graine de patates, mais bien des patates. Il faut d'abord "égermer" les patates destinées à la semence. Cette opération consiste à séparer les patates en plusieurs morceaux parfois cubiques. Chaque cube ou morceau contient un ou deux germes prêts à se développer. Après que l'on a déposé ce morceau de patate (germe) dans la terre, une tige se développe. Ce cube de patate pourrit et constitue la première nourriture de la tige.

Comme on devra butter (renchausser) les tiges de patates, au cours de l'été, il faut disposer les "germes" en rangs et les espacer de façon à les butter rapidement en utilisant une charrue spéciale. La façon la plus simple est de tracer un sillon de charrue (de labourage) d'y répandre les "germes" de patates à tous les 36 ou 38 centimètres, et les enterrer au moyen du sillon suivant; on sèmera les 'germes" à tous les deux rangs. Ainsi on pourra se servir d'une sarcleuse ou d'une "renchausseuse" quand les tiges auront grandi, sans crainte de les arracher ou de nuire aux racines. Le plant de patate a besoin d'être butté pour se développer.

Parfois le paysan préférera planter ses patates au carreau. Cette technique consiste à faire, à la pioche, des trous à égale distance, par exemple à 46 centimètres l'un de l'autre. Cette disposition en quinconce permettra à la charrue de faire des buttes carrées et d'arracher les mauvaises herbes entre les tiges. D'après l'autre technique, il faudra sarcler à la main ou avec un instrument avant de butter les plants.

Plants disposés en quinconce

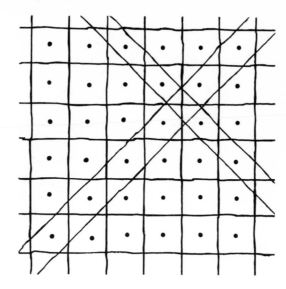

L'instrument destiné à butter les patates, ou butteur, était primitivement, un soc de bois relié à une perche de bois (barre assez solide). Une lame placée devant le soc permet de remuer une certaine quantité de terre que deux petits versoirs placés chaque côté du soc ramènent près des tiges. Le cheval (ou le boeuf) marche en droite ligne entre les tiges, et le fermier tient les mancherons du butteur. Si les patates ont été plantées en quinconce, on passera le butteur dans deux directions se coupant à différents angles.

En général, on profitera du lendemain d'une pluie pour butter les patates. On plantera les patates en mai, dès que la température commence à réchauffer la terre; et on les buttera au début de juin, aussitôt que les plants ont atteint 13 à 15 centimètres de hauteur. Quelques jours après le buttage, on observe que les tiges de patates se couvrent de feuilles et grandissent rapidement. Peu après, apparaîtront les premières fleurs dans le champ de patates.

Le sarclage et le buttage des patates auront lieu après la fin des semailles du grain. Pendant que le paysan besogne au champ, seul ou avec un aide, la paysanne a organisé son jardin potager. Cette pièce de terre devra d'abord être protégée par une clôture capable de contenir les animaux aussi bien que les poulets. Une fois la terre labourée ou bouleversée à la houe, il faut faire plates-bandes et carrés pour recevoir la semence de choux, de carrottes, de navets, de céleri. . . à moins que ces grains n'aient commencé à se développer, tôt le printemps, en couche chaude, et ne demandent qu'à être transplantés. Chaque jour, la paysanne consacre quelques minutes à son jardin, soit pour abriter les jeunes plantes contre le vent, soit pour arrêter le ravage des vers ou des insectes; elle verra aussi au sarclage, à l'arrosage, au buttage exigé par certaines plantes. Dès que les enfants commenceront à grandir, la maman utilisera cette jeune main-d'oeuvre pour arroser, sarcler ou cueillir fruits et légumes. Même le chien peut venir en aide pour tirer une voiturette transportant de l'eau ou de la terre grasse.

Butteur (renchausseuse)

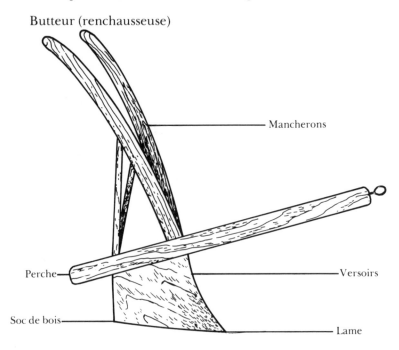

Mancherons

Perche

Versoirs

Soc de bois

Lame

Sillon de butteur

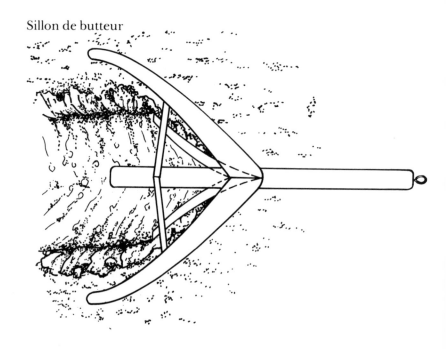

La paysanne compte sur le produit de son potager pour varier le menu d'été et pour faire des provisions d'assaisonnement et de condiment pour le menu d'hiver.

La rhubarbe lui fournira une confiture appétissante; si elle cultive les fraises et les framboises, elle en fera des provisions de confitures ou de gelées. Les oignons salés, marinés ou conservés frais dans le caveau à légumes seront d'un précieux secours pour la cuisine, pendant l'hiver. L'anis, le persil et autres herbes amères auront aussi leur place dans le potager.

De plus, la paysanne ira cueillir, dans les champs, certains fruits sauvages, fraises, framboises, gadelles, bleuets, pimbina, cerises. . . que l'on mangera aussitôt après la cueillette, ou l'hiver, sous forme de confitures. Elle pensera même à fabriquer certaines liqueurs de cerises, de betteraves, de pissenlits, ou de gadelles. Le printemps, par exemple, ella aidera son mari à fabriquer la bière d'épinette si appréciée au temps des chaleurs d'été.

En attendant la récolte de foin, le paysan profite de cette sorte de répit pour terminer le creusage des fossés, prolonger ou réparer la clôture. De plus, il verra à fabriquer ou arranger râteaux, fourches, ou tout instrument dont il aura besoin pour récolter son foin. Il préparera ses voitures, nettoiera l'endroit de la grange destiné à recevoir le foin. Il verra à l'amélioration du caveau (cavereau) à légumes, s'il prévoit une bonne récolte de patates et de différents légumes.

Chapitre 8

LES CLÔTURES

La clôture la plus primitive et la première utilisée par le colon est la clôture d'embarras ou suite d'arbres branchus disposés en ligne plus ou moins droite pour empêcher les animaux de s'éloigner. C'est une sorte de mur assez peu franchissable aussi longtemps que les branches sont solides et les feuillages non séchés. À chaque printemps, et même avant l'automne, il faut remplacer certaines sections de cette clôture. La neige l'écrasera facilement en hiver. Cette sorte de clôture apparaîtra surtout au bord de la forêt ou en forêt, pour empêcher les animaux d'aller trop loin ou d'accéder à certains endroits dangereux, cap abrupt ou marais.

Clôture d'embarras

Tous les autres genres de clôture vont exiger des pieux ou perches ébranchées et coupées de la longueur d'une "pagée" (3,65 m ou 4,25 m). Le pieu est souvent constitué d'un arbre de bois mou (cèdre, sapin) fendu en deux ou en quatre. Pendant qu'il fait son abattis, le paysan conserve les arbres qui peuvent lui servir à la construction, ceux qui constitueront son bois de chauffage et ceux destinés à la clôture. Avec le temps, il pensera aux piquets dont il se servira pour planter sa clôture.

Le genre de clôture le plus simple semble être la disposition des pieux en zigzag. C'est une clôture passablement solide mais qui demande beaucoup de pieux; de plus, on ne pourra utiliser ce type de clôture entre deux voisins, à moins d'entente. D'après la loi, la clôture de ligne doit suivre exactement la direction indiquée par le cadastre.

Clôture de pieux en zigzag

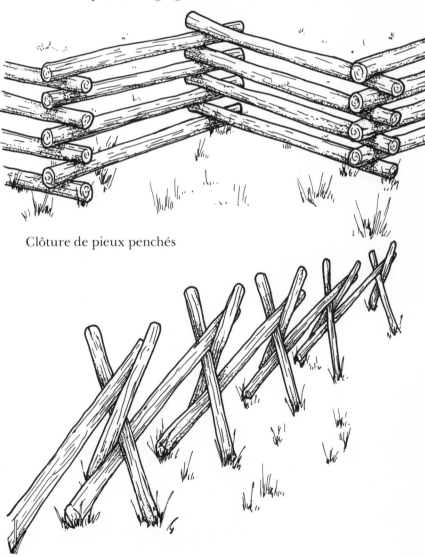

Clôture de pieux penchés

Nos voisins des États-Unis avaient introduit, en certains milieux canadiens, une clôture de piquets en croix de saint André et de pieux penchés. C'était une clôture assez solide et efficace.

La clôture traditionnelle, à pieux et à piquets, semble la plus solide, et demande plus de temps pour la construire. Il s'agit de planter deux piquets, un chaque côté d'un pieu, et de les renforcer par des harts ou de la broche. On plante le piquet à la masse, après avoir pratiqué un trou dans la terre au moyen d'une "pince à clore" ou tige d'acier. Comme les pieux ont un bout plus gros que l'autre, le fermier fera succéder, en hauteur, un pieu de petite et de grosse dimension. Ce procédé permet de planter ses piquets parallèlement à huit ou douze centimètres de distance. Pour prévenir la pourriture du pieu de solage (le premier près de la terre), il fera reposer les deux bouts de ce premier pieu sur une pierre ou un bloc de bois. La distance parallèle des pieux sera maintenue à l'aide d'un bloc (parfois petite souche), d'une pierre ou d'un lien de hart ou de broche. Le gros bout d'un pieu sert souvent de support au pieu de la "pagée" voisine. La hauteur de la clôture dépend de son usage. La loi exigera une certaine hauteur pour les clôtures de ligne (entre voisins). Les clôtures de refente ou de division pourront être de quatre, cinq ou six pieux de hauteur suivant l'humeur des animaux que l'on veut maîtriser.

Clôture à piquets croisés

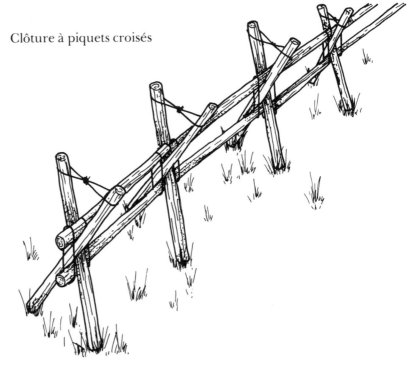

On élève souvent une clôture temporaire autour d'un jardin, d'un puits ou d'un arbre. Cette clôture peut se composer de deux ou trois pieux disposés sur deux piquets plantés en X et retenus par des harts ou des broches. Cette clôture n'est ni solide ni élégante.

Peu à peu, surtout autour de la maison, le paysan adoptera une clôture composée de planches (parfois de madriers) clouées symétriquement sur de solides poteaux équarris à la hache ou à la scie. Les planches sont retenues au poteau par des clous. En général, cette clôture élégante peut être peinturée ou blanchie à la chaux.

Avec le développement de l'industrie, le paysan utilisera peu à peu la broche à l'état de fils d'acier ou de treillis tissés à la manufacture. Le treillis ou le fil d'acier est fixé au poteau simple par des crampes métalliques.

Clôture de broche lacée

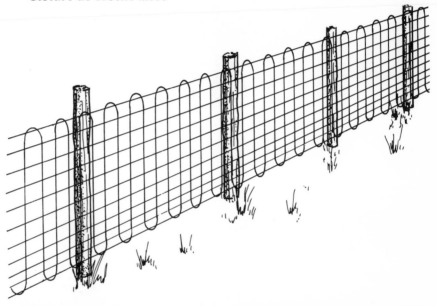

LES BARRIÈRES

On ne parle pas de barrières dans la clôture d'embarras ni dans la clôture de ligne. Les barrières existent dans les clôtures qui délimitent certaines pièces de la ferme. Il faut prévoir, dans la clôture, des "pagées" mobiles pour faciliter le passage des bêtes ou des voitures. Les parties mobiles ou barrières ont adopté différentes formes au cours des âges. D'après certains fermiers, le type de barrière le plus ancien (à l'époque où le colon était rare) consistait en deux pieux parallèles, en position horizontale, réunis par une série de bâtons (branches droites) introduits dans des trous de vilebrequin que contiennent les deux pieux. On enlève naturellement les pieux de la clôture à l'endroit où l'on place la barrière; celle-ci glisse entre deux poteaux (un à chaque bout) plantés à côté des poteaux de la clôture. La barrière est retenue par un lien (anneau, corde, hart. . .) attaché à l'un des bâtons et que l'on glisse dans le poteau de la clôture.

Plus tard (à l'époque du clou), on fabriqua une barrière d'un cadre de bois auquel on clouait des planches (ou de légers pieux). Cette barrière pouvait se glisser comme la précédente, mais comme elle était lourde, on la faisait pivoter autour d'un long poteau. Depuis une cinquantaine d'années, les compagnies d'instruments aratoires vendent des barrières qui ont adopté le même principe. Cependant, le cadre est de tuyau d'acier (ou d'aluminium) garni de fil de fer tissé. Avec l'invention de cette barrière pivotante, un chien bien dressé peut aller chercher les animaux, ouvrir et fermer les barrières avant ou après le passage des bestiaux. Le chien peut rendre d'autres services très appréciables au paysan seul sur sa ferme.

Barrière coulissante

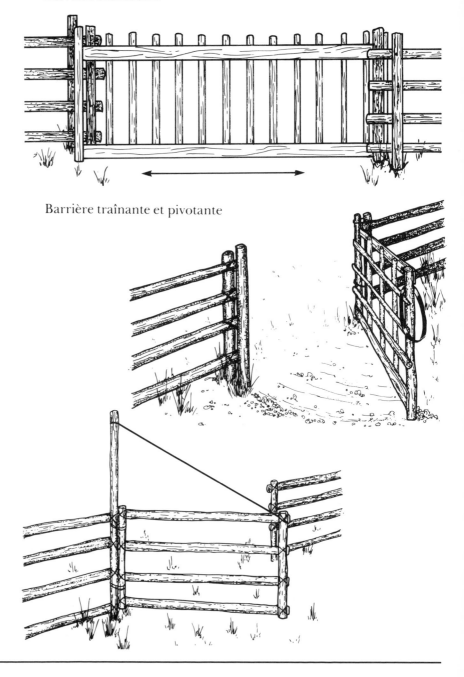

Barrière traînante et pivotante

Chapitre 9

L'EAU

Un paysan acceptait rarement un lot dépourvu de ruisseau, d'étang ou de lac. Autrement, il aurait pu difficilement abreuver ses animaux. Un gros ruisseau peut aussi fournir une source d'énergie!

Tôt, après la construction de la maison et de l'étable, parfois en même temps, il faut trouver une source d'eau potable. Même si le fermier peut utiliser l'eau d'un lac ou d'un ruisseau aux abords de ses bâtisses, il préférera toujours chercher une source d'eau souterraine. Cette eau est toujours plus pure et plus fraîche. Mais il faut la découvrir avant de creuser le puits. C'est à ce moment décisif qu'il faut demander l'aide ou les conseils d'un sourcier.*

Ce dernier, soit grâce à un don ou à une plus grande expérience, s'emparera d'une baguette divisée naturellement en deux branches; cette baguette doit provenir d'un arbre particulier (coudrier) rempli de vie (sève). Le sourcier saisit à pleine main chacune les deux branches de sa baguette magique et laisse la troisième libre en direction du sol. Il marche autour de la maison ou de la grange. Dès qu'il passe sur une nappe d'eau ou un courant d'eau souterrain, la partie de la baguette dirigée vers le sol tend à se relever et se meut dans un mouvement rotatoire vertical. Plus la source d'eau est abondante, plus la force de rotation est intense. C'est au sourcier d'interpréter les divers mouvements de la baguette.

Parfois, il saura que l'eau est très abondante, mais très profonde; parfois, il saura que l'eau jaillira de terre en creusant un trou de moins d'un mètre. Chaque sourcier a une réputation basée sur le nombre de ses réussites. Il peut se faire qu'un sourcier induise le paysan en erreur.

Il est arrivé souvent que l'on ait découvert une source d'eau sous la maison. Il est plus facile de puiser l'eau en descendant dans la cave ou en installant une pompe dans la cuisine. Dans certaines fermes, la maison aura un puits indépendant de celui de la grange.

Une fois la source d'eau repérée dans les parages de la maison, il faut creuser le puits. L'outillage est parfois assez primitif: une pelle et une pioche. Là où l'on possède un boeuf ou un cheval, on commencera à remuer la terre au moyen de la charrue. Si un fermier des environs ou un parent possède une pelle mécanique "pelle à cheval" on va l'emprunter pour entreprendre les premiers travaux d'excavation. Puis, le reste du creusage se fait à la pelle manuelle et à la pioche. Quand l'eau apparaît, on s'empresse de l'extraire au moyen de seaux pour continuer le creu-

Baguette de sourcier
(branche)

sage jusqu'au niveau de la veine d'eau. Si une grosse pierre ou parfois une couche de roc arrête le creusage, il faut concasser la pierre et en extraire les morceaux au moyen d'un treuil, de leviers ou de palans.

Avant que le puits ne se remplisse d'eau, il faut en garnir les parois de bois ou de pierre. On se servait d'abord de bois de chêne ou de cèdre pour boiser le puits; ce sont des bois qui ne pourrissent pas facilement dans l'eau. Il fallait renouveler cette boiserie si l'eau venait à prendre goût de bois moisi ou pourri. Très souvent, les parois du puits étaient revêtues de pierre; cette paroi de pierre était plus solide et donnait un meilleur goût à l'eau. Tout autour de la bouche du puits, on remontait de 30 à 60 centimètres le niveau du sol pour empêcher l'eau de pluie ou de fonte des neiges de se déverser dans le puits (la fontaine). Même quand on construisait une margelle, on voyait à protéger le puits contre l'eau de surface.

Vers la fin du 19e siècle, on inventa des machines à creuser qui pouvaient rejoindre des sources souterraines en perforant un seul trou (8 à 13 cm) à travers la terre ou le roc. Souvent, la pression souterraine faisait gicler l'eau à l'extérieur, créant une sorte de puits artésien qui rendait la pompe inutile. Dans un grand nombre de cas, la pompe était encore nécessaire.

MOYENS DE TIRER L'EAU DU PUITS

Un des moyens les plus primitifs consistait en une perche solide à laquelle on avait ajouté un crochet ou laissé une branche. On accrochait l'anse du seau au crochet de la perche; quand le seau était rempli, on le

Perche à crochet naturel

Perche à crochet d'acier

remontait à la surface. Autre moyen: la brimbale. Une longue perche appuyée sur un solide poteau en forme de fourche, porte, à un bout (celui qui donne sur le puits), une corde et un seau, à l'autre bout une pesée qui peut contrebalancer le poids du seau rempli d'eau. Une autre corde (plus faible) attachée à la brimbale ou au seau permet au paysan d'élever la pesée en abaissant la brimbale vers la gueule du puits. Le seau descend dans l'eau du puits et se remplit. Un léger coup sur la corde aide la pesée à vaincre la pesanteur du seau. Dès que ce dernier passe au niveau du sol, le paysan l'arrête, décroche le seau ou en verse le contenu dans un autre récipient. Souvent on se sert d'un joug (palanche) pour ramener du puits deux seaux d'eau en même temps. Le joug se compose d'une planche assez solide dans laquelle on a pratiqué un étranglement de la forme d'un demi-cercle destiné à admettre le cou d'une personne. Chaque bout de cette planche est rétréci à la grosseur d'un bâton, et porte une corde avec crochet métallique. Le porteur d'eau (ou d'un autre fardeau) place cette planche sur ses épaules de fa-

Puits à brimbale

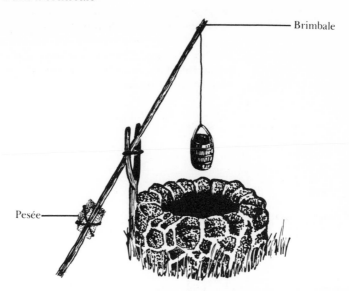

çon que son cou coïncide avec le demi-cercle évidé. Ce demi-cercle est rembourré de feutre ou d'étoffe pour ne pas blesser le cou du porteur. Les deux bras du joug dépassent un peu les épaules de la personne. Celle-ci peut accrocher un seau à chaque crochet et marcher facilement en maîtrisant, de ses mains, la position des deux seaux pour les empêcher de perdre une partie de leur contenu.

Puits à treuil

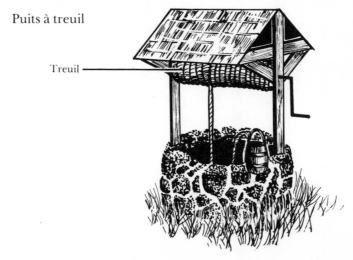

Le même joug peut servir à transporter l'eau que l'on a tirée du puits au moyen du treuil; ce dernier dispositif permet à un seau de descendre dans le puits au moyen d'une corde fixée au tambour du treuil. En tournant la manivelle du treuil, on y enroule la corde, et le seau sort du puits après s'être rempli d'eau.

Il est de la plus grande importance que le puits soit fermé d'un couvercle de bois pour empêcher les débris (transportés par le vent) de se précipiter dans l'eau; le couvercle peut aussi empêcher les petits animaux et les enfants de tomber dans le puits.

Certains paysans trouveront plus pratique d'installer une pompe de bois* à l'orifice du puits. Cette pompe est formée d'une bûche de bois (épinette) dans laquelle on a perforé un trou dans le sens de la longueur au moyen d'une tarière.

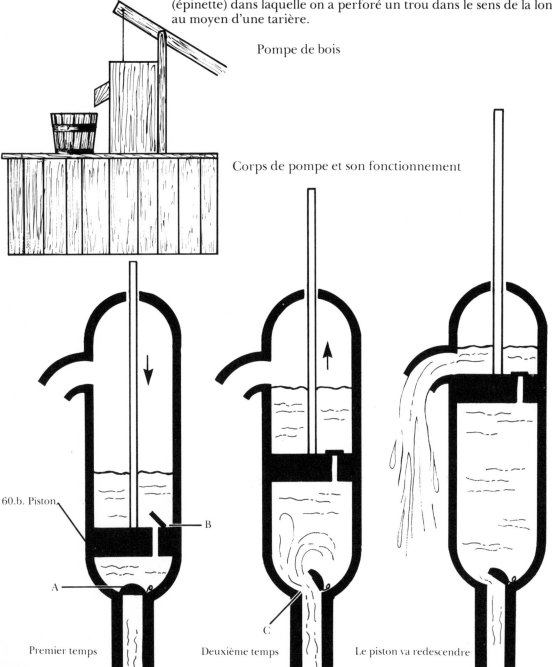

Pompe de bois

Corps de pompe et son fonctionnement

60.b. Piston

B

A

C

Premier temps

Deuxième temps

Le piston va redescendre

* À lire: **Appendice,** section M.

Dans ce trou vertical se promène de haut en bas un cylindre de bois ou de métal pourvu d'une soupape (B). Le cylindre est relié, au moyen d'une tige de fer, à un levier qui se balance autour d'un point d'appui situé en dehors du corps de pompe. Le paysan se sert de la force de son bras pour activer le levier.

Pénétrons maintenant dans le corps de la pompe. À sa partie la plus basse se trouve une soupape (de cuir ou de tôle) qui s'ouvre vers le haut (A). En s'élevant sous la force du levier, le piston fait le vide au-dessus de cette soupape inférieure, la force à s'élever (C) et à laisser passer une certaine quantité d'eau. Dès que le piston part en descendant (B), il imprime une pression sur l'eau contenue dans le corps de pompe et fait refermer la soupape inférieure (A).

À son tour, le piston mobile contient une soupape (B) qui se soulève et laisse passer l'eau en-dessus du piston pendant que la soupape inférieure (A) retient l'eau dans le corps de pompe, l'empêchant de redescendre dans le puits. Dès que le piston reprend sa course vers le haut, sa soupape se ferme vers le bas et tient l'eau prisonnière en-dessus du piston, créant un vide en-dessous de lui. Ce vide force la soupape inférieure à s'élever et à laisser monter une certaine quantité d'eau dans le corps de pompe. Pendant que la partie inférieure du cylindre se remplit, le piston déverse son contenu à l'extérieur, au niveau d'une ouverture destinée à faire écouler l'eau dans le seau. À chaque remontée du piston actionné par le levier (coup de pompe), une certaine quantité d'eau passe du puits au récipient extérieur.

Le tuyau descendant dans le puits était d'abord de bois perforé dans le sens de la longueur. On pouvait creuser une tranchée à partir du puits jusqu'à la maison et y installer le tuyau de bois qui plongeait dans le puits et conduisait l'eau vers la maison où une personne actionnait le bras de la pompe qui tirait l'eau du puits jusqu'au seau placé près du corps de pompe.

Une autre installation de tuyau dans la direction de l'étable pouvait fournir l'eau aux animaux, grâce à un autre corps de pompe placé dans la bâtisse réservée aux animaux. À l'automne, on voyait souvent une longue file de conifères couchés sur le sol, du puits à la maison, pour faire amonceler la neige et empêcher le tuyau de geler pendant l'hiver. Mais en janvier ou février, on apercevait souvent le traditionnel tonneau-traîneau à la porte du paysan. On allait chercher l'eau à un ruisseau ou à un lac voisin pour ravitailler la ferme en eau potable. Pour le lavage on faisait fondre de la neige.

Avant que l'on installe la pompe dans la maison, la femme du paysan avait recours, en été, à l'eau des gouttières. On installait volontiers un dalot sous les gouttières de la maison pour recueillir l'eau, en temps de pluie, ou l'eau de la rosée du matin. Cette réserve d'eau servait surtout au lavage. Même à l'époque des pompes, cette source d'eau était précieuse, à certains temps de l'été où l'eau se faisait rare dans le puits ou dans les ruisseaux (coutume encore en usage dans plusieurs milieux du Manitoba, en 1954).

Le paysan a rendu sa maison et son étable un peu plus confortables, il a organisé les clôtures les plus urgentes; il lui faut mettre à point les fossés d'égouttement de sa ferme. Il a toujours une savane à draîner, un ruisseau à élargir (ou à écluser... pour les oies ou les canards!); s'il a un voisin, il faudra s'entendre avec lui pour creuser le fossé de ligne, pour amener à ce fossé un petit ruisseau que le voisin pourrait utiliser. . . Encore là, le paysan va s'occuper des canaux d'égouttement au fur et à mesure que sa ferme se développe, et qu'il se rend compte des bienfaits ou des méfaits de l'eau sur son terrain.

Eau de gouttières

Chapitre 10

LES DIFFÉRENTS ATTELAGES

Le plus vieil attelage du boeuf est le joug, joug de cornes et joug de garrot. Cet attelage peut être double ou simple, pour deux boeufs ou pour un seul boeuf. Le joug de cornes se composait d'une forte pièce de bois attachée solidement aux cornes de l'animal. Le joug de garrot était formé d'une solide pièce de bois qui portait sur le garrot du boeuf et était tenue en place par un carcan de bois disposé autour du cou de l'animal. Attelés deux à deux, les boeufs partagent le même joug de cornes. Le joug est alors plus long, et chaque animal porte le joug derrière ses cornes, lesquelles sont liées au joug par des courroies. Quand il s'agit du joug de garrot, les deux bêtes tirent côte à côte, le joug portant sur le garrot, et le cou des boeufs est entouré d'un carcan dont les deux extrémités passent à travers le joug.

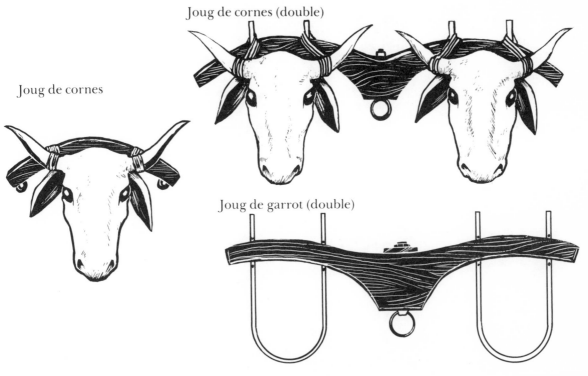

Joug de cornes (double)

Joug de cornes

Joug de garrot (double)

Dans ce cas, les deux boeufs tirent sur le même timon. Si le boeuf tire seul, au moyen du joug à cornes ou à garrot, il tire la charge au moyen de traits ou de chaînes attachées à chaque bout du joug.

Mais assez tôt, chez nous, le boeuf est attelé au collier comme un cheval. Comme le boeuf tire plus du garrot que du poitrail, le collier épousera une forme un peu différente de celle du cheval; en particulier, les crampes des attelles seront placées plus haut. Le collier (à cheval ou à boeuf) peut être à "fetons" ou à traits. Les fetons sont deux fortes chevilles reliées aux attelles par des bandes de cuir (bracelets). Les chevilles (fetons) s'insèrent dans le timon des brancards. Ils servent de plus à retenir les anneaux de l'avaloire ou bande qui passe sur le fessier de l'animal et lui sert à repousser la charge vers l'arrière. Ainsi, les fetons sont aussi efficaces pour tirer la voiture que pour la retenir.

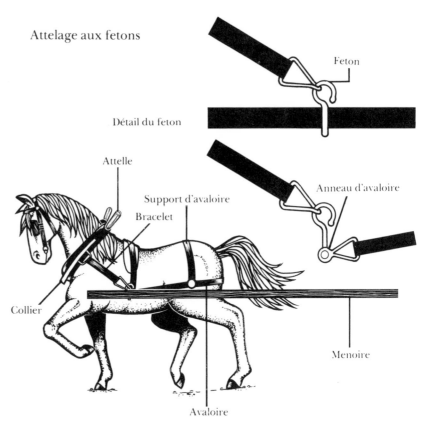

Attelage aux fetons

Feton

Détail du feton

Anneau d'avaloire

Attelle

Support d'avaloire

Bracelet

Collier

Menoire

Avaloire

Quand on attelle un animal sur une lourde charge traînante (non sur roue), point n'est besoin d'avaloire. D'ailleurs, quand il s'agit de labour, de hersage ou de transport de lourdes charges sur le "stone-boat", on attelle surtout au trait. Dans ce cas, les traits sont attachés aux attelles du collier de l'animal et au palonnier (bacul), sorte de barre retenue par le centre à une paire de brancards ou à une barre plus longue fixée également à un timon. Si le cheval ou le boeuf est attelé seul à la herse ou à la charrue, son palonnier est retenu par le centre à la charrue ou à la herse. Si les animaux sont attelés deux par deux, chacun de leurs palonniers est attaché à chaque bout d'un autre maître-palonnier relié à la charge.

Si l'on attelle une paire d'animaux à une voiture ou à un instrument aratoire sur roues, ils marcheront côte à côte, séparés par un timon. Comme, en descendant une pente, ils devront contrôler la vitesse de la voiture ou de l'instrument aratoire, il faudra que l'avaloire soit reliée quelque part sur le timon.

Deux cas sont possibles, le timon peut se terminer, à l'avant, par une seule barre (neck-yoke) ou une barre pourvue d'une sorte de palonnier à chaque extrémité.

Attelage double aux traits

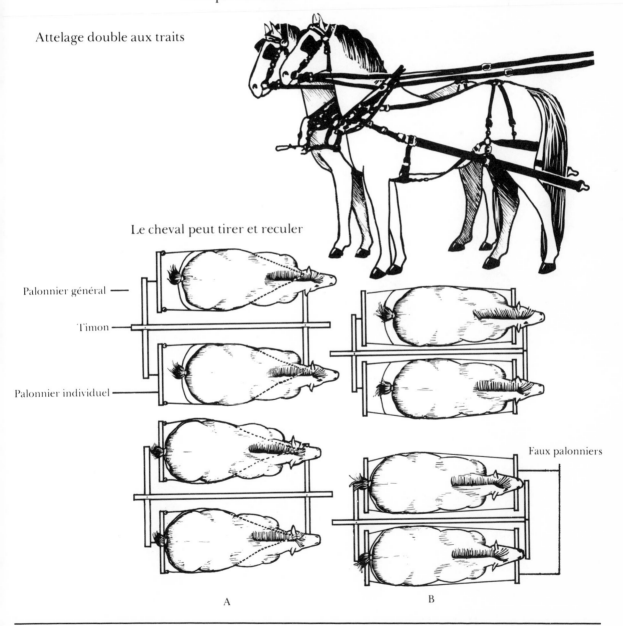

Le cheval peut tirer et reculer

Palonnier général

Timon

Palonnier individuel

Faux palonniers

A

B

Dans le premier cas (A), le collier du cheval est attaché par une courroie à l'anneau du bout de la barre. Le poids du timon porte sur le cou du cheval. Les deux parties (courroies) de l'avaloire viennent se nouer au même anneau en passant l'une contre l'autre dans le poitrail (entre les deux pattes) du cheval. Dans le second cas (B), chaque courroie de l'avaloire passe chaque côté du cheval et vient rejoindre l'anneau placé à chaque bout du faux palonnier. Qu'il s'agisse d'attelage de deux chevaux sur la faucheuse, la moissonneuse, sur le wagon de ferme ou la "sleigh" de charroyage, on retrouvera ces deux principes d'adaptation de l'avaloire.

Chapitre 11
LES VOITURES

Voitures d'été

Même si le colon arrive sur son "lot", armé d'une simple hache, il ne tardera pas à se construire une brouette, véhicule assez primitif mais très utile, en été, pour transporter des fardeaux trop lourds pour être portés à dos d'homme.

Brouette à une roue

La brouette était une voiturette assez facile à construire. Elle se composait d'une plate-forme supportée par deux solides timons reposant sur l'axe d'une roue de bois. Il suffisait à une personne de prendre les deux timons, et mettre la roue en branle, en poussant la brouette. On pouvait se servir de la brouette pour charroyer le bois de poêle coupé en sections de 45 à 60 centimètres de longueur. On pouvait aussi l'utiliser pour transporter un sac de pommes de terre ou de farine; près de l'étable, près de la maison, dans le potager et même dans le champ, la brouette était d'usage quotidien. Elle dispensait le paysan d'atteler le boeuf ou le cheval sur le tombereau pour transporter un ou deux paquets trop lourds pour les épaules d'un homme.

Brouette à deux roues

Un peu plus tard, on verra apparaître la brouette à deux roues légères. C'était à l'époque où l'on pouvait utiliser deux roues d'un vieux boghei ou d'une vieille calèche. La brouette à deux roues pouvait porter de plus fortes charges et était plus stable que la brouette à roue unique. On pouvait la pousser à bras, parfois y atteler un jeune boeuf et même le chien. Vers la fin du 19e siècle, on vendait ce genre de voiturettes de différents styles, petit véhicule adapté aux travaux du paysan.

Si le colon doit transporter des quartiers de roche assez pesants, il se servira d'un "stone-boat" ou traîne plate; c'était un traîneau très robuste dont on se servait, surtout l'été, sur les surfaces labourées ou sur des routes à peine tracées.

Traîne plate
ou "stone-boat"

En hiver, il utilisera facilement la "chienne" aussi appelée "suisse", traîneau très fort, très léger, qui porte sur la neige, grâce à ses patins très larges; c'est une voiture simple qui sert à un homme seul à transporter une ou deux bûches pesantes à travers la forêt. Certaines sortes de bois (frêne, bouleau...) procureront au colon des lamelles à la fois durables et légères pour se fabriquer, par exemple, une traîne à chien ou traîneau de chasse appelé "cométik".

"Chienne" ou "Suisse"

S'il ne va pas travailler dans les chantiers, pendant l'hiver, le colon en voie de s'installer, emploiera une grande partie de son temps à se fabriquer des instruments, des outils, des voitures pour l'hiver et l'été. Parmi les voitures indispensables à tout défricheur, on retrouve le tombereau (ou banneau). C'est une voiture à deux roues très solides, formée d'une sorte de boîte, à parois un peu évasées, que tire le boeuf ou le cheval au moyen de deux robustes brancards (menoires) reliés à l'essieu fait de bois dur (plus tard, d'acier). La roue est constituée d'un fort moyeu roulant autour de l'essieu. Du moyeu se détachent des rayons ou gros bâ-

Tombereau de ferme
avec panneau à l'arrière

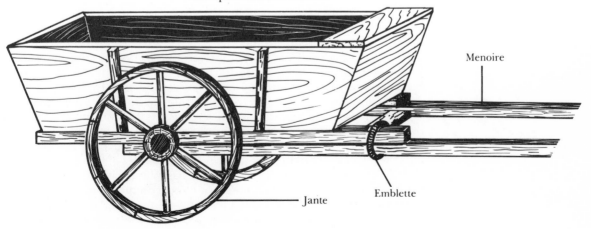

Menoire

Jante

Emblette

71

Tombereau de ferme

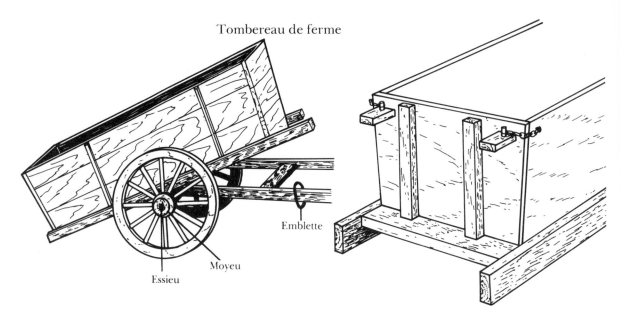

Emblette

Moyeu

Essieu

tons qui pénètrent dans les jantes. Pour empêcher l'essieu et le moyeu de s'user trop rapidement, de prendre feu ou de faire entendre des grincements, le colon devait souvent graisser les roues de son tombereau.

Ce dernier était formé d'un cadre très solide d'une forme un peu particulière. L'un des supports de la boîte était plus long que l'autre. Ce support une fois rabattu sur les brancards servait à le retenir dans la position horizontale, grâce à l'emblette, sorte d'anneau de corde, de cuir, de chaîne ou de broche. Ce cadre solide supportait une forte boîte.

La boîte du tombereau pouvait basculer autour de l'essieu. En glissant l'emblette vers l'arrière du boeuf ou du cheval, la boîte pouvait basculer d'elle-même ou au moyen d'une faible poussée. Parfois l'emblette sera placée au centre de la boîte; c'est alors une sorte de crochet qui relie la boîte au centre d'une forte barre consolidant les deux parties des brancards.

En général, une étroite planche est placée au coin gauche ou droit de la boîte, tout près du boeuf ou du cheval, pour servir de siège au charretier. Quand on utilisait le tombereau pour transporter de la terre ou du fumier, on ne plaçait pas de panneau à l'arrière de la boîte; mais si la voiture servait à transporter des fardeaux moins lourds (feuilles, paille, branches. . .) on plaçait un panneau pour en fermer l'arrière. Ce panneau était solidifié par deux fortes tringles qui s'enfonçaient dans les deux supports de la boîte. La partie supérieure du panneau était percée de deux trous carrés qui laissaient dépasser deux pièces de bois fixées à l'entourage de la boîte et servant à retenir le panneau au moyen de deux chevilles fixées au tombereau par des cordes ou des chaînettes. On avait soin d'enlever ce panneau avant de faire basculer la boîte du tombereau.

C'était une voiture lourde, faite pour rouler lentement, et qui se prêtait au transport du sable, de la pierre ou du fumier. Au début, l'essieu était de chêne ou d'érable, mais à l'époque de 1880, les essieux étaient déjà d'acier, et les moyeux étaient protégés par un manchon métallique.

Quand le colon bâtira son caveau à légumes, le tombereau sera une voiture indispensable pour transporter le sable destiné à recouvrir la structure souterraine. S'il veut transporter une herse, une charrue, un attelage, quelques sacs de grain de semence, le tombereau est adapté à toutes ces courses sur la ferme. Il pourra même s'adapter aux travaux de l'hiver, pour transporter le fumier ou la neige. À ce moment, on fixera la boîte du tombereau sur un traîneau à hauts patins.

Tombereau sur patins

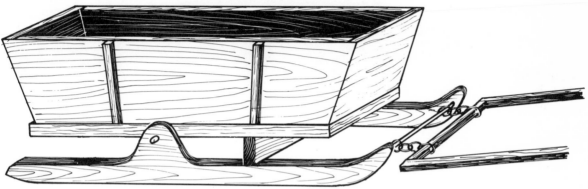

Le paysan se servait d'une autre voiture étroitement apparentée au tombereau, la charrette à deux roues ou charrette à foin. Elle se composait d'une plate-forme solide fixée à un essieu, supportée par deux fortes roues. À la différence du tombereau, la charrette ne bascule pas. De chaque côté de la plate-forme, parallèlement aux roues, se dresse une sorte de barrière, en lattes solides, destinée à garantir les effets contre les roues. Quand on se servira de la charrette pour charroyer le foin, on ajoutera à chaque bout de la plate-forme une sorte d'échelle dont le rôle est de retenir le foin sur la voiture. Si la charge est trop lourde à l'arrière de la charrette, celle-ci restera à l'horizontale grâce aux brancards qu'une sangle placée sous le ventre du cheval empêche de basculer. Les échelettes peuvent se maintenir sur la charrette grâce à de solides mortaises pratiquées dans la charpente des supports qui reposent sur l'essieu. Chaque échelette possède deux forts montants qui s'enfoncent dans les mortaises. Ces échelettes permettent à la charrette de transporter plusieurs veillottes de foin sans en perdre le long de la route.

On peut se servir de la charrette pour transporter d'autres produits que le foin. Une fois les échelettes enlevées, on peut transporter du bois, des sacs de grain, de farine, du bagage de toutes sortes.

Le fermier disposa, vers 1875, d'une forte voiture à quatre roues qu'on appelait "waguine" par suite de la corruption du mot "wagon". Nous, nous l'appellerons le wagon de ferme.

C'était une forte voiture à quatre roues semblables à celles du tombereau ou de la charrette, sauf que l'essieu du devant, essieu mobile, portait deux roues d'un diamètre un peu moins grand que celui des roues arrière. Ce train avant devait faire tourner la voiture de gauche à droite ou vice versa. Des roues trop grandes auraient été entravées par la

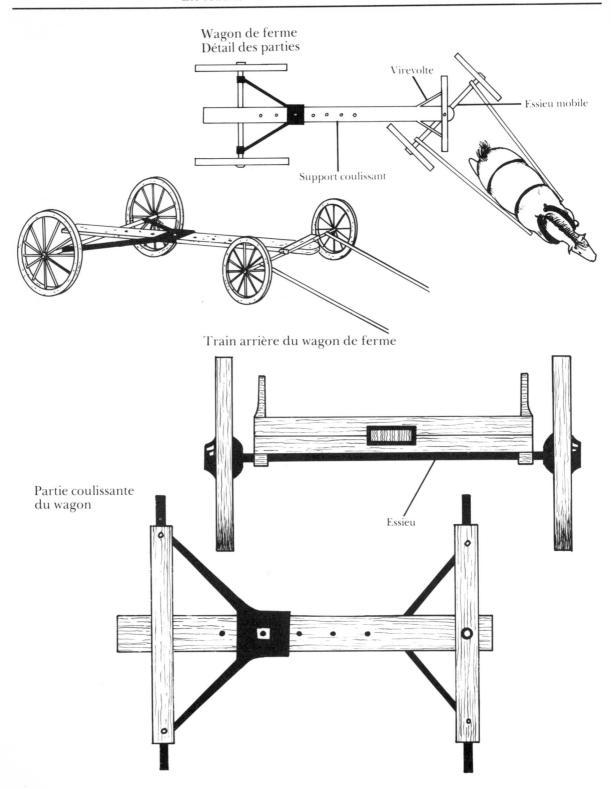

Wagon de ferme
Détail des parties

Virevolte

Essieu mobile

Support coulissant

Train arrière du wagon de ferme

Partie coulissante
du wagon

Essieu

charge (ou le rack) dans les tournants. De plus, l'essieu antérieur contenait deux parties: une qui supportait la charge (virevolte) l'autre qui
pouvait pivoter autour d'un axe fixé au virevolte. Parfois, cette dernière
partie n'était pas reliée au sommier du wagon, mais bientôt, on le fixa,
au moyen d'équerres, à la barre longitudinale (pôle) qui reliait le train
arrière au train avant. Cette barre s'insérait dans le support de l'essieu
arrière, et se joignait à ce train au moyen d'équerres qui rejoignaient un
autre support coulissant. Des trous perforés dans cette barre mobile
permettaient d'ajuster la longueur du wagon à la charge ou à une boîte
quelconque (rack). Si l'on voulait, par exemple, transporter des bidons
ou des sacs, on utilisait une plate-forme de dimensions plus réduites; si
l'on transportait des billots, on chargeait le wagon au maximum de la
longueur de la barre longitudinale.

Quand on transportait une lourde charge sur ce wagon de ferme et
qu'il fallait freiner la voiture en descendant une pente sérieuse, on se
servait d'un "sabot". Ce frein était constitué d'une forte lame d'acier que
l'on insérait sous une roue du train arrière; deux séries d'équerres sou-
dées à la lame forçaient cette dernière à demeurer sous la roue. Une
forte chaîne retenait le "sabot" au sommier de la voiture.

Le sabot (frein)
son utilisation

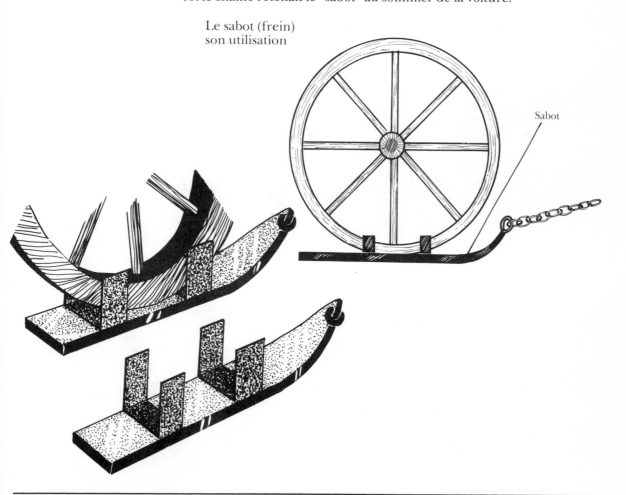

Sabot

La roue se trouvait ainsi immobilisée. La friction du "sabot" qui glissait sur le gravier constituait une inertie appréciable; une fois la côte descendue, on libérait le sabot en faisant reculer la voiture de trente à soixante centimètres, puis on suspendait le frein et sa chaîne à la charpente du wagon.

Cette lourde voiture servait sur la ferme, au transport du bois, du foin, du grain et même de passagers en cas de routes primitives ou de routes du printemps. Le paysan se fabriquait des plates-formes pour répondre à différents usages de son wagon, depuis le simple panneau sans rebords jusqu'à la charpente destinée à charroyer les gerbes de grain ou les balles de foin.

Dès que le charron put fabriquer des roues plus délicates et plus raffinées, le paysan fit l'acquisition (ou se construisit) de voitures plus légères et plus élégantes. Une des premières voitures appelée "la planche" (ailleurs, la slaïe, même, tape-cul) n'avait d'autres ressorts que la flexibilité d'une plate-forme de planche allant d'un essieu à l'autre de la voiture. Cette voiture primitive possédait toutefois un siège placé de façon à atténuer les plus gros chocs des roues. Un garde-boue empêchait le gravier et la vase d'incommoder les passagers.

Planche ou "tape-cul"

À mesure que la technique de l'acier se modernise, on voit apparaître des ressorts qui rendent les voitures plus confortables. Les premiers ressorts de voiture étaient placés à angle droit avec la carrosserie. Plus tard, les ressorts seront placés sous la carrosserie, et parfois dans le sens de la longueur. Le boghei était une voiture légère, à quatre roues, assez souvent pourvu d'un toit de toile. D'autres voitures possédaient un toit pouvant garantir les deux sièges contre la pluie.

Dans nos campagnes, on adopta assez tôt une voiture appelée "express", véhicule à deux sièges posés sur une carrosserie solide et anguleuse. Quand on voulait transporter des paquets d'un certain poids, on enlevait un ou même les deux sièges.

Boghei couvert
et à ressorts longitudinaux

Ressorts
longitudinaux

Express à deux sièges

Cabriolet

Dans les villes ou les villages, on voyageait en cabriolet (ou cabrouet), voiture à deux roues d'allure élégante mais moins solide.

C'était une réplique de la charrette du paysan, mais possédant des ressorts et des roues raffinées. Ce genre de voiture élégante était trop faible pour résister aux routes des rangs de colonisation.

Voitures d'hiver

Nos paysans développèrent, pour l'hiver, une foule de voitures de ferme et même des voitures pour les voyages. Il était plus facile pour un artisan ordinaire de fabriquer les patins d'une "sleigh" ou d'un traîneau que des roues de charrette ou de wagon de ferme. D'où une abondance de styles de voitures destinées à glisser sur la neige.

Une des premières voitures dont le paysan aura besoin, l'hiver, c'est la traîne à bâtons, véhicule assez primitif qui a inspiré nombre d'autres voitures plus raffinées.

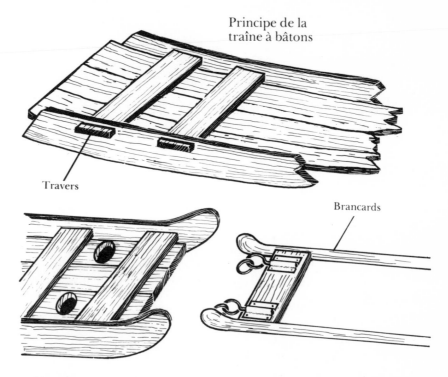

Principe de la
traîne à bâtons

Travers

Brancards

C'était une voiture très solide, très simple, formée de deux patins (membres) tirés d'un arbre de bois dur qui présentait une courbe naturelle, à la souche. Ces deux membres étaient solidement reliés par des travers mortaisés dans les flancs des deux patins placés parallèlement. Des planches de bois dur étaient clouées sous les travers, de façon à faciliter le glissement de la traîne sur la neige. Derrière le premier travers, à l'avant de la traîne, on laissait deux trous destinés à recevoir deux anneaux fixés à la solide barre des brancards. On tirait les anneaux à l'intérieur de la traîne et on leur introduisait un bâton (gaton). Ce système permettait de se servir des mêmes brancards, même si l'on changeait de voiture.

Tout autour de la traîne, on plantait des bâtons destinés à retenir le bagage ou à servir d'appui aux passagers. Bientôt on sentit le besoin de lier ces bâtons entre eux par une bande de bois qui, avec les bâtons, constituait une ridelle.

Quand on transportait une lourde charge (bois ou machine), on renforçait les ridelles, à leur extrémité supérieure, en les reliant par une

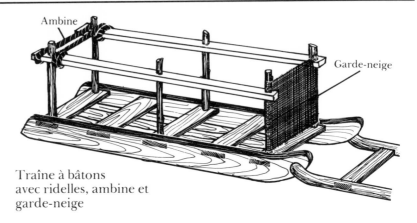

Traîne à bâtons
avec ridelles, ambine et
garde-neige

"ambine" ou corde qui empêchait les bâtons de s'éloigner. Souvent on plaçait un sac ou un léger panneau entre les deux bâtons les plus près du cheval pour empêcher ce dernier de lancer les mottes de neige dans la traîne.

La traîne à bâtons servait à toutes les sauces. Avant de se procurer une carriole ou une "bellerine", le paysan allait à l'église ou veiller chez les voisins, en utilisant la traîne à bâtons. Aucune tempête, aucune difficulté de circulation n'empêchait cette voiture de passer. On jetait des couvertures (ou même de la paille) dans le fond de la traîne pour se protéger les pieds contre le froid, on s'écrasait dans la voiture pour se protéger contre la neige ou le vent, et l'on s'agrippait aux bâtons de la traîne. Beau temps, mauvais temps, soleil ou obscurité, le cheval suivait la route, entre les balises, et conduisait ses passagers à destination. C'était le moyen de transport le plus pratique pour aller au marché, vendre du bois de chauffage, conduire les écoliers à l'école, "courir" la guignolée, le mardi-gras ou la mi-carême.

Borlot

Avec le temps, la traîne à bâtons évolua sans toutefois céder sa place. Un paysan adroit, muni de meilleurs outils, créa, un beau jour, le "borlot" ou berlot. C'était une sorte de caisse d'une certaine élégance, placée sur deux patins — les patins de la traîne à bâtons — et contenant un ou deux sièges, en plus d'une section pour les marchandises. Les passagers étaient ainsi protégés contre la neige et le froid — puisqu'ils pouvaient utiliser des peaux d'agneaux ou des couvertures de laine pour "s'abrier" les pieds, — protégés aussi contre les mottes de neige, grâce au "garde-neige" placé à l'avant du berlot, près du charretier. Ce véhicule était un peu plus lourd que la traîne à bâtons, mais beaucoup plus confortable et plus élégant. On prenait le temps de le peinturer et même de le décorer. S'il était destiné seulement aux voyageurs, on en soulageait le poids en y adaptant des patins plus minces, des planches plus légères pour constituer la caisse du traîneau. En général, les brancards du "berlot" sont plus légers que ceux de la traîne à bâtons.

Traîneau de portage

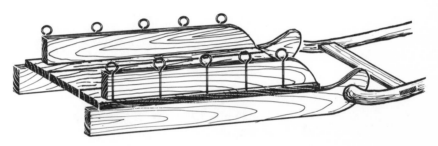

Il a existé un peu partout un autre traîneau très fort, appelé "traîneau de portage". Ce moyen de transport était surtout affecté au charroyage du foin, du grain, ou d'autres marchandises vers la "cache" ou magasin des entrepreneurs en exploitation forestière. C'était un traîneau très fort mais dont le "rentourage" était assez bas. On pouvait y empiler les balles de foin, des sacs de farine, de grain, des quartiers de boeuf ou des caisses de toutes formes. De nombreux anneaux étaient disposés à l'arrière et sur les côtés de la voiture pour y passer les câbles destinés à retenir la charge sur la voiture. Celle-ci voyageait sur des routes très rudimentaires, dans les montagnes, souvent par des sentiers à peine tracés. On voyait aussi ce traîneau sur la grand-route, puisqu'il faisait la navette entre les centres commerciaux et les chantiers.

Dans certaines régions du Canada, on construisait sur le principe du "borlot" une voiture un peu plus légère, mais parfois un peu moins forte que ce dernier.

La "berline"* était faite d'une caisse un peu plus basse que celle du "borlot" et de deux patins simplifiés, deux tiges de bois recourbées et renforcées sous la caisse par des supports verticaux. La "berline" pouvait accepter un ou deux sièges; elle pouvait aussi servir pour charroyer les sacs, les colis de toutes sortes. C'était la voiture toute désignée pour aller porter le grain au moulin à farine ou transporter des balles de foin.

Avec les années et les générations d'artisans, on en arriva à la carriole, une voiture canadienne fabriquée pour notre pays froid et nos hivers

* À lire: **Appendice**, section L.

Berline

neigeux. Cependant, la carriole a emprunté quelques traits à l'ancien carrosse français.

Carriole

Nos artisans canadiens ont fabriqué une caisse aux lignes élégantes et destinée à assurer le confort. Cette caisse, au lieu de se déplacer sur roues, était fixée à des patins de bois très durs terminés à l'arrière par une queue d'acier de forme spirale. Les sièges et le dossier étaient richement capitonnés de velours ou d'étoffe durable. Parfois une belle peau de castor ou d'ours recouvrait en entier le siège arrière. On se couvrait les pieds et les genoux de couvertures de laine ou de peaux d'agneau teintes de différentes couleurs. Le cocher avait son siège à l'avant. Dans plusieurs modèles de carriole, le siège du cocher pouvait se plier et laisser la place à de légers bagages.

Les brancards de la carriole étaient de deux types principaux: les brancards droits et les brancards arqués. Les deux extrémités arquées étaient reliées par une tige assez rigide qui servait à déplacer les brancards vers la gauche de façon à ce que le cheval marche plus vers la gauche de la voiture.

C'était une coutume basée sur une loi du régime français, que, pour faciliter les rencontres, en hiver, on devait atteler le cheval de façon qu'il puisse facilement céder la moitié de la route à la voiture allant en sens opposé. On a conservé en plusieurs centres, cette façon de déplacer les brancards vers la gauche. En se tassant légèrement vers la droite, les chevaux pouvaient se rencontrer sans risquer de provoquer un accrochage avec la voiture venant en sens opposé.

En parlant d'accrochage, remarquons que nos charrons ont prévu cet accident. Pour protéger la carriole contre les accrochages, nos artisans ajoutèrent tout le long de la carrosserie de ce véhicule une sorte de pare-chocs, ou longue tige d'acier disposée à quelques centimètres de la caisse, et destinée à recevoir les chocs en cas de rencontre.

Les brancards arqués possédaient, sur la tige reliant leurs extrémités à la voiture, des sortes de boulons (ou de vis) qui rendaient le changement rapide tout en assurant la solidité. On se demandera peut-être pourquoi être forcé de changer la position des brancards? Nous l'avons dit, sous le régime français, pour supprimer les accidents, on OBLIGEAIT les charretiers circulant sur les grandes routes à atteler, en hiver, le cheval non au centre, mais vers la gauche du véhicule.[1] Certains villages ou régions ayant conservé cette vieille coutume perpétuèrent jusqu'à la fin du 19e siècle ce mode d'attelage. Les voituriers conçurent donc ce système de brancards mobiles, pour accommoder les usagers de toutes les régions.

Également, depuis le régime français, chaque propriétaire est obligé de "baliser" le chemin du roi qui passe sur sa ferme, et, après chaque tempête de neige, il doit "battre le chemin" pour rendre la route carrossable. De plus, le charretier, pour prévenir les accidents de rencontre, doit annoncer la venue de sa voiture par une sonnerie de clochettes. On place les clochettes sous les brancards de la voiture, et la "bande de grelots" sur le dos du cheval, vers l'arrière.* Dès que le cheval bouge, les clochettes ou les grelots se mettent en branle et annoncent, à leur façon, la présence d'une voiture sur la route. Le charretier qui voyage en sens inverse, peut choisir un endroit plus aéré, où la neige est foulée ou moins profonde, pour préparer la rencontre de la voiture qui manifeste sa présence à une certaine distance.

1. Allusion à ce mode d'attelage dans Robert-L. Séguin, **La civilisation traditionnelle de l'habitant,** p. 603.* À lire: **Appendice,** section L.

On n'en finirait plus de décrire tous les types de carrioles, puisque chaque voiturier tâchait de rivaliser de bon goût et de confort avec un concurrent d'un autre milieu.

Assez tôt, après 1870, apparut la "sleigh à patins" aussi appelée "Cutter" ou "Bellerine". C'est une sorte de carriole, à carrosserie plus légère, montée sur des patins évidés et plus élevés que ceux de la carriole.

"Cutter" ou "Bellerine"

Les patins de cette voiture étaient plus évasés au niveau de la route qu'au niveau de la carrosserie. Cette disposition avait comme effet d'abaisser le centre de gravité et de prévenir la tendance de la voiture à renverser, dans la neige. Cette 'Bellerine' était beaucoup plus légère mais plus exposée au froid à cause de sa suspension au-dessus du niveau de la route.

On connut aussi ce style de "sleigh à patins" correspondant à "l'express" à roues. Ce genre de voiture, assez semblable à la "berline", possédait deux sièges amovibles. Il servait parfois à transporter un cercueil, quand le corbillard ne pouvait se frayer une route sur les chemins de campagne. Cette voiture ne protégeait pas beaucoup contre le froid. Moins renversable que la "Bellerine" ou le "Cutter", elle exposait facilement les passagers au froid. Seules les fourrures et les étoffes de laine pouvaient protéger les jambes contre le froid.

Pendant que les charrons multipliaient les styles de carrioles et de "sleighs à patins" pour voyager rapidement sur les routes, un autre type de voitures de service se développait: la "sleigh" de ferme ou traîne à patins mobiles.

Ce type de traîne assurait une voiture de service beaucoup plus forte et adaptée à des travaux plus diversifiés.

La "sleigh" de ferme était composée de deux trains constitués chacun de deux forts patins de bois dur reliés par une poutre de bois, vers le centre et à l'avant. Le train arrière était plus long que celui d'avant. Le train arrière était relié au train avant par l'entremise d'une solide barre.

Au centre de chaque patin, on boulonnait un bloc qui servait d'appui à un support allant rejoindre le patin de l'autre côté de la voiture. À l'avant des patins du train arrière, on plaçait une pièce transversale arrondie dans laquelle on introduisait, avec mortaise, une forte pièce de bois qui servait de lien entre le train arrière et le train avant.

Train arrière d'une sleigh

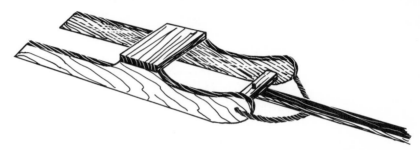

Sleigh à chaînes entrecroisées

Train avant avec virevolte

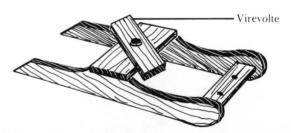

—————— Virevolte

Deux fortes tiges d'acier venaient renforcer cette barre-levier destinée à gouverner le train arrière. Parfois les deux trains étaient reliés entre eux par deux chaînes entrecroisées.

Ce système de chaîne-lien était en usage surtout dans les chantiers pour répondre à certaines conditions de routes ou de matériel à charroyer.

Le train avant ressemble un peu à celui du wagon de ferme. Le support se décompose en deux parties superposées: une partie reliée aux deux patins, et une autre, parfois appelée "virevolte" qui tourne autour d'une cheville de fer enfoncée dans le support reliant les patins.

Cette pièce mobile sera fixée à une charge (billots) ou à une plate-forme, et permettra à l'autre support libre de tourner pour diriger la voiture.

Sleigh chargée de billots

Le traîne à double série de patins (sleigh) peut être tirée par un seul cheval ou par deux. Sur la ferme, un seul cheval sera suffisant dans la plupart des cas. Si l'on attelle un seul cheval à la "sleigh" de ferme, on peut l'atteler aux traits on aux fetons. En général, les brancards de cette forte voiture de service seront lourds et s'adapteront au véhicule grâce au "gaton" ou bâton passé dans des anneaux fixés à la large barre des brancards. Quand on descend une pente, les deux patins ont tendance à s'appuyer sur la barre des brancards. Comme ces derniers se terminent à l'arrière par une courbe assez massive, dès que le cheval ralentira pour contrôler la vitesse de la charge qui veut prendre de l'élan, les deux extrémités des brancards serviront de frein assez efficace.

Quand on attelle deux chevaux à la "sleigh" de service, on les attelle aux traits, à un timon semblable à celui de la faucheuse ou de la moissonneuse. Dans une pente, si la charge menace d'aller trop rapidement et de bousculer les chevaux, on freine en haut de la pente, en fixant une grosse chaîne ou "drag" — bride, dans la Beauce — autour d'un patin du train arrière. Cette chaîne, placée à angle droit avec le patin, constitue une inertie qui empêche la charge de prendre un élan incontrôlable par les chevaux.

"Drag" ou bride

Avant le frein de chaîne (drag), le paysan connaissait un autre frein destiné à ralentir la traîne à bâtons. Il était constitué d'un gros anneau et d'une tige mobile pourvue d'un crochet. On entrait l'anneau dans le talon d'un des brancards, et l'on fixait le crochet de la tige à la forte barre qui reliait les brancards.

Frein [Drag] d'une traîne à bâtons

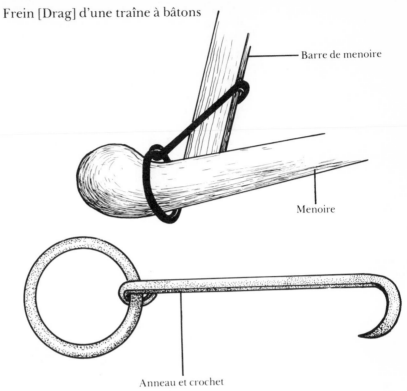

Barre de menoire

Menoire

Anneau et crochet

L'anneau créait, sous le talon du brancard, une inertie qui ralentissait, dans une pente, la vitesse de la traîne.

Sleigh de chantier

Une traîne à double série de patins (sleigh), si elle sert uniquement à la ferme, sera plus légère que le gros véhicule de chantier. Le paysan qui se fabrique (ou se fait fabriquer) une "sleigh" pour les travaux de la ferme verra à ce qu'elle soit la plus légère possible tout en lui conservant une certaine force. Même si les patins et les supports sont de bois dur (merisier ou érable), le menuisier tâchera de supprimer les lourdes ferrures qui seront nécessaires pour les seules charges de pesants billots dans l'exploitation forestière. Le paysan se servira sans doute de sa 'sleigh' pour charroyer son bois de chauffage ou de construction, mais il préférera transporter une charge moins lourde que de casser sa voiture ou fatiguer son cheval.

Le fermier qui doit transporter un bagage peu lourd (un sac de blé, un baril de farine) ne pensera pas à utiliser sa traîne à double série de patins (sleigh) pour faire une course au village ou dans le canton. Il simplifiera sa voiture. Souvent, il disloque sa traîne à quatre patins et n'en utilise qu'une série (celle du devant), en lui adaptant une caisse ou une plate-forme très légère.

Bacagnoles

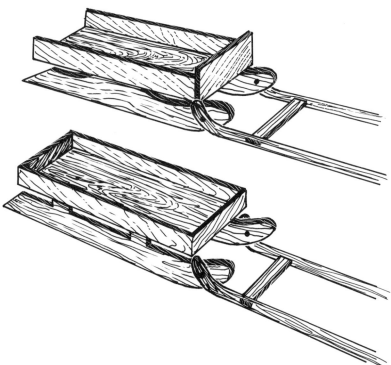

En certains endroits, on appelait ces petits voitures, des "bacagnoles". Elles étaient légères et pouvaient passer dans des routes assez tortueuses sans embarrasser le cheval et en s'adaptant aux besoins du charretier.

Ce principe du double train de voiture de service a été heureusement mis à profit pour certains types de véhicules de promenade ou de voitures mitoyennes entre le travail de ferme et les besoins de la route. On observe, par exemple, que la plupart des corbillards et plusieurs voitures légères de la fin du 19ᵉ siècle, glissent sur un double train de patins.

Vers la fin du siècle dernier (1897), on vendait de ces trains préfabriqués sur lesquels on pouvait bâtir une carrosserie quelconque.

Trains de voiture manufacturés

Corbillard
et voiture de commerçant

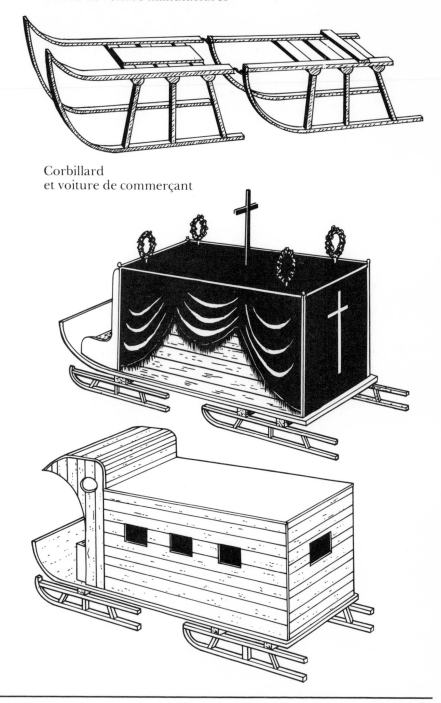

De même, certaines voitures utilisées en hiver par des colporteurs ou marchands à domicile, ont adopté le système du double train de patins, d'un style plus solide cependant et se rapprochant plutôt du type de la "sleigh" de ferme.

Il arrive souvent que le paysan conserve sa traîne à bâtons pour les charges peu lourdes: le transport de quelques bûches, d'une bête à cornes. La traîne à bâtons, plus légère que la "sleigh" de ferme, servira couramment pour le transport des "enfants d'école" ou des gens qui vont "veiller", "courent le mardi-gras" ou "la mi-carême". Même quand on possède une carriole ou une "Bellerine" on se servira d'une voiture plus rustique, dans des circonstances où les passagers seront plus nombreux et plus tapageurs.

Chapitre 12

LES
ROUTES

Pour voyager de la ferme à la forêt, en hiver, le paysan tracera sa propre route en recherchant autant que possible les endroits où la neige a le moins de chance de s'amonceler. Au besoin, il zigzaguera d'une "saison" à l'autre pour éviter de voyager dans une neige trop épaisse. Il profitera de la glace pour passer à travers les savanes, les petits lacs et sur certains ruisseaux, lieux qu'il sera forcé de contourner, en été.

En forêt, le paysan aura à se frayer une route dans la neige, en passant d'abord avec le seul cheval, ensuite avec une voiture non chargée. . . en attendant que la route durcisse.

Les routes des rangs offrent certains avantages et certaines difficultés. Elles sont assez droites, en général, et donc exposées aux vents, sur de longues distances. Si le vent traverse la route, il rend la circulation difficile en multipliant les "bancs" de neige. Dans la plupart des municipalités, des lois précises forcent les propriétaires à entretenir la route "du roi" ou route nationale qui traverse les fermes.

En général, dès que le conseil d'une municipalité se forme, on prévoit des sommes pour l'entretien des chemins des rangs. C'est que, si la route file, par exemple, Nord-Sud entre deux voisins, ces derniers ne peuvent entretenir un ou trois kilomètres de route. Si la route du "trécarré" va d'une ferme à l'autre, en desservant des fermiers différents de chaque côté, qui des deux va entretenir la route ou une section de route? Très souvent un fermier, désigné et payé par le "conseil", verra à l'entretien

Grattoir de route

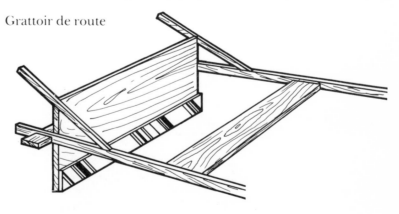

de 1,5 ou 3 kilomètres de route dans le rang. Un inspecteur, nommé et rémunéré à même les fonds publics, doit surveiller les routes, surtout en hiver, pour avertir tel fermier de réparer sa route, ou faire exécuter les travaux, si le fermier ne peut pas y voir lui-même.

L'entretien de la route consiste à la maintenir dans un état tel que toute voiture puisse y circuler sans danger. Dans le village, on roulera la neige; dans la campagne, on foulera la neige au moyen de chevaux, de temps en temps, ou l'on grattera la route au moyen d'un grattoir tiré par un cheval et composé d'un simple panneau fixé à une paire de brancards. Deux mancherons permettent au conducteur, de peser sur le grattoir ou de le gouverner.

Souvent, une lame d'acier placée à la base du grattoir permet d'aplanir davantage la route.

Parmi les grands défauts des routes, en hiver, on retrouve les "pentes" ou surface dure surélevée qui incite la voiture à quitter le centre de la route. Certaines surfaces arrondies faisaient perdre l'équilibre à la voiture, surtout à la carriole dont la "fonçure", ou le fond est à quelques centimètres au-dessus des patins.

Déformation de la route

Dès que le fond appuie sur une surface dure, la voiture perd son équilibre et peut renverser. Les "Bellerine" ou "Cutter", dont les patins étaient hauts, se défendaient mieux contre ce défaut des routes.

Le grattoir avait comme effet principal de "raplomber" la route en rasant le sommet des pentes.

Souvent des ondulations très subites se formaient dans le sens de la longueur de la route.

Saquets ou ondulation de la route

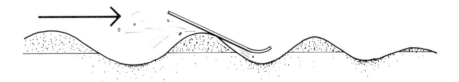

Cette déformation survenait souvent à la suite de rafales et de "poudrerie". Il se produisait ce que les paysans appelaient des "saquets"[1]. La voiture piquait subitement vers l'avant, remontait et provoquait une secousse qui creusait peu à peu un autre "saquet". Cette ondulation accentuée surprenait parfois le cheval, le forçait à donner un effort de collier pour retirer la voiture du fond du "saquet". Ces secousses pouvaient facilement provoquer le bris d'un trait ou d'un palonnier.

Le grattoir avait comme effet de râper la crête des ondulations et de remplir les "saquets", donc de niveler la route.

En plus de déblayer ou fouler la neige sur la route, il fallait entretenir des "balises" ou petits arbres plantés dans la neige à une certaine distance l'un de l'autre pour indiquer la largeur de la route, et empêcher, en cas de tempête, les voitures de passer à côté de la route. Ces "balises" consistaient en de jeunes sapins de 3 mètres ou 3,65 mètres de hauteur, portant un bouquet de branches au sommet, et plantés de chaque côté de la route. À mesure que la neige s'accumulait, on devait maintenir les balises à une certaine hauteur au-dessus de la neige.

Autre cas: les routes, sur un lac ou sur le fleuve. Encore là, en général, la route devait être tracée par les autorités municipales, bordée de "balises" et surveillée pour déceler toute faille ou toute faiblesse de la glace. Si le point de passage entre le rivage et le pont de glace devenait dangereux à cause de la crue des eaux ou la fonte de la neige, il fallait recourir à une sorte de pontage de bois qui facilitait la circulation et diminuait le danger.

À certains endroits — cas d'îles assez éloignées dans la fleuve — le trajet entre l'île et la terre ferme s'opérait au moyen d'une chaloupe et d'une équipe de volontaires ou de "traverseux" spécialisés. Ce fut le cas des habitants de l'île-aux-Coudres qui, jusqu'à 1960, n'eurent d'autre moyen de transporter, en hiver, le courrier ou les malades à la Petite rivière Saint-François que cette frêle barque montée par cinq or six hommes. Ceux-ci avironnaient, quand des "saignées d'eau" apparaissaient entre les glaces, et tiraient le canot sur les glaces, quand celles-ci se tassaient et rendaient impossible le passage d'une embarcation. Des cordes étaient fixées au bordage de la chaloupe et les "traverseux" dont la route était fermée par les banquises, tiraient l'embarcation sur la glace. Ce minuscule traversier finissait par se frayer un passage et rendre à bon port passagers, bagages et courrier[2].

Il faut signaler, en passant, les difficultés que rencontraient les paysans à voyager, le printemps pendant le fonte des neiges: la surface des chemins, pendant le jour, était trop faible pour porter le poids d'un cheval, les ruisseaux coupaient souvent la route, la glace fondante rendait dangereuse la route sur les rivières et les baies. Que l'on songe à l'ingé-

---

1. Les dictionnaires canadiens (ou même glossaires) n'ont pas ou peu rapporté le mot "saquet". Pourtant le **DICTIONNAIRE D'ANCIEN FRANÇAIS** de Grandsaignes et d'Hauterive donne le verbe SAQUER ou SACHIER qui, du 7e au 15e siècle, a signifié "secouer". Au mot SAQUER , Bescherelle donne la définition suivante: "Mettre en mouvement un corps quelconque avec effort, en lui faisant subir des sauts, des agitations brusques et continues qui font jaillir vers un point". Cette nuance de sauts, d'agitations. . . rejoint assez bien notre mot paysan "saquet" lequel décrit une déformation de la route imprimant à la voiture une secousse, un mouvement ondulatoire saccadé.

2. Des Gagniers, Jean. **L'Île-aux-Coudres,** p. 96. Savard, F.-A. **La traverse d'hiver,** dans LES ARCHIVES DE FOLKLORE, nº 4, p. 13ss.

niosité des marguilliers de paroisses rurales dépourvues de chemin de fer . . . pendant la semaine sainte. Il leur fallait aller chercher les saintes huiles à de grandes distances, entre le Jeudi saint et le matin du Samedi saint. On organisait des relais de volontaires, on s'entendait avec la paroisse voisine pour que la liturgie du Samedi saint ne souffre pas du manque de saintes huiles. On mobilisait les paroissiens dont les chevaux avaient une réputation de vitesse et d'endurance. C'était un grand honneur pour un "habitant" que d'être choisi pour collaborer à la "course aux saintes huiles".

À l'époque de la fonte des neiges, les rivières charroyaient de grandes quantités d'eau. Il était souvent impossible de les traverser à gué en "voiture roulante". On avait recours au bateau passeur, souvent appelé BAC.

Le bac était composé, la plupart du temps, d'un ponton, ou sorte de bateau plat ponté, servant à transporter piétons, voitures, animaux. . . d'une rive à l'autre. Plusieurs types de bacs se sont développés à travers le pays et avec le temps:

- bac actionné à force de bras; le passeur donnait une impulsion au ponton à l'aide d'une perche;

- bac retenu par un câble tendu entre les deux rives; le passeur faisait avancer le bac en tirant sur le cable, à la main ou au moyen d'une roue à manivelle;

- bac mû par une chaloupe à rames ou à moteur.

Le propriétaire du bac exigeait une certaine somme pour passager seul, passager et voiture, groupe d'animaux. Le voyageur signalait sa présence en agitant une cloche ou en utilisant le porte-voix. Le bac venait chercher les voyageurs à heure fixe ou sur demande. Des règlements contrôlaient les traversées du dimanche ou de la nuit. . . Certaines auberges s'installaient dans le voisinage des bateaux-passeurs pour accommoder les voyageurs. . .

Vers 1875, pour traverser les rivières, on remplaça le bac par le pont. . . le pont de bois. C'était une longue passerelle qui reposait sur des piliers de pierre retenue dans des caissons de poutres. Ces longues passerelles s'avérèrent bientôt coûteuses d'entretien et de peu de durée à cause des effets de la pluie, de la gelée, du soleil. On pensa alors au pont couvert. Ce n'était qu'une passerelle reposant sur des piliers, et recouverte d'une forte charpente supportant un toit. Ce toit protégeait la passerelle contre la pluie et prolongeait la durée du pavé de bois. Cette construction était assez forte pour porter des voitures d'un certain poids. Il était défendu de fumer (feu) et d'y laisser trotter les chevaux (vibration). Le pont était de la largeur d'une route ordinaire. Les murs de cette construction laissaient entrer la lumière par des ouvertures réparties sur la longueur du pont. Ces ouvertures permettaient à la neige, en hiver, de venir adoucir cette route de bois. La charpente du pont était formée de poutres croisées dans le sens de la longueur et de la largeur. Le soir, un contribuable délégué par le conseil municipal devait aller allumer des fanaux du pont pour prévenir les accidents de circulation. Ce même officier devait, au début de l'hiver, répandre un peu de neige sur le plancher du pont pour faciliter le passage des voitures d'hiver.

Pont couvert

Le pont reposait, au début, sur des piliers de pierres retenues par des caissons de bois. Ces caissons étaient fabriqués en partie sur la rive, tirés à l'eau et remplis de pierres après avoir été immobilisés dans le courant de la rivière. À certains endroits, les piliers étaient menacés, le printemps, par les lourds glaçons qui descendaient au fil de l'eau. Les constructeurs de ponts étaient obligés à plusieurs endroits de protéger les piliers par des renforts en fer de lance destinés à dévier la force des glaçons. Parfois, la faiblesse de certains piliers nécessitait une interdiction de circulation, certains jours de printemps. . .

Ces beaux ponts couverts ont presque tous disparu vers 1950 avec la construction de ponts modernes en acier et en beton! Les sociétés de monuments historiques en ont sauvé quelques-uns en souvenir d'un passé. . . poétique.

Quand le printemps est revenu avec la pluie, et le vent chaud, la neige commence à fondre, les routes deviennent dangereuses et presque impraticables. On tentera de détourner certains bouts de routes en passant dans les champs pour éviter l'eau et l'épaisseur de neige qui embarrasse la marche des chevaux. Un beau dimanche, il y aura, à l'église, la "criée des chemins". Les Autorités municipales demandent que l'on "ouvre" les chemins pour telle date. À cette date (le dimanche d'ensuite), on pourra partout (ou dans telle et telle route) utiliser les voitures "roulantes".

Les propriétaires (ou les responsables) des routes doivent pelleter la neige des côtes et des routes dont ils sont reconnus responsables par le "conseil". Il faut aussi, pour rendre la route plus praticable, creuser des fossés dans la neige, le long de la route pour empêcher l'eau de nuire aux voyageurs. Certains propriétaires n'auront que peu de travail pour rendre la route "roulante", mais d'autres devront travailler beaucoup et se faire aider. . .

Chapitre 13

LES RÉCOLTES

Le cycle des récoltes est, en grande partie, réglé par la température. Si la pluie a été abondante, la récolte de foin se fera vers la mi-juillet; si, en août et septembre, la température est plutôt chaude, le grain sera prêt à couper dès la mi-septembre. Quant aux patates et aux légumes, on procédera à leur récolte quand le grain sera engrangé.

Le paysan surveille ses champs et sait d'avance si la récolte va être bonne ou peu abondante. Même au moment où l'optimisme lui fait entrevoir une riche récolte, un violent orage, une tempête de vent et de grêle peut ruiner en quelques heures ses plus beaux espoirs. Le foin peut être abondant mais perdre une partie de sa valeur, s'il ne peut sécher facilement à l'époque de la fenaison. Le grain a pu croître à hauteur d'homme et parvenir à une parfaite maturité, mais on ne pourra parfois en récolter qu'une mince partie, parce que la température en a retardé la récolte. Quand on l'a coupé, toutes les graines sont tombées des épis sur le sol. Les pois étaient en train de mûrir quand la gelée les a abîmés.

Tous ces hasards relatifs à la température ne laissent pas le paysan indifférent. Il faut qu'il compte avec les caprices de la nature et sur la Providence. Au cours de l'été et de l'automne, un paysan du canton visite les fermiers et recueille l'offrande destinée à faire chanter une messe pour "les biens de la terre".

En vue de ne pas retarder le début de la fenaison, il préparera ses outils, ses instruments, ses voitures et les locaux qui devront abriter la récolte. Pendant l'été, il a dû améliorer telle route, bâtir ou réparer tel pont, enlever de la remise tel traîneau qui empêche l'accès à tel instrument nécessaire aux récoltes.

LES FOINS

Quand approche le temps des foins, le paysan doit préparer sa faulx, son râteau, la fourche à foin, la charrette pour le charroyage, et le local (fenil) pour y loger la récolte.

La faulx se compose d'une lame d'acier très aiguisée reliée à un manche léger mais solide. Ce manche, courbé pour faciliter le maniement de la faulx, est muni de deux poignées mobiles capables de s'adapter à la longueur des bras du faucheur.

La fourche est composée d'un manche droit, de bois très fort, qui s'introduit dans une douille d'acier unissant trois fourchons légèrement recourbés. Cette fourche sert à rassembler le foin coupé, à en faire des tas

Outils de récolte

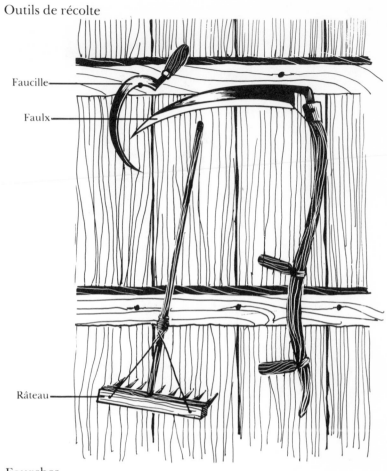

Faucille

Faulx

Râteau

Fourches

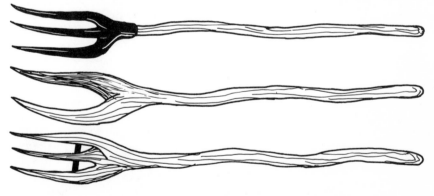

et à le déposer dans la voiture ou le décharger sur le fenil. Il existait autrefois des fourches complètement fabriquées de branches d'arbre. Ce style de fourche servait surtout aux enfants qui venaient aider les parents à activer le séchage du foin.

Râteau manuel

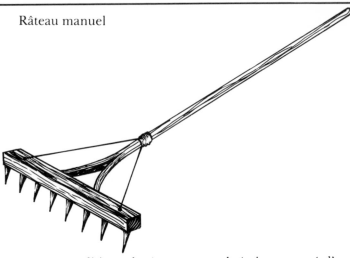

Maniement du râteau

Le râteau traditionnel, râteau manuel, était composé d'une pièce de bois dur de 63 à 76 centimètres de long; cette pièce avait été perforée au vilebrequin de 8 ou 10 trous dans lesquels on enfonçait des chevilles (dents) de 12 à 15 centimètres de longueur. Deux autres trous étaient percés dans un plan à angle droit avec les dents du râteau. Ces deux trous étaient destinés à recevoir le manche divisé (à la scie), à son extrémité, en deux parties. On introduit le manche dans le support des dents, et voici le paysan en possession d'un râteau capable de rassembler en andains le foin qui a commencé à sécher sur le champ. Nous parlerons, plus tard, d'un râteau en partie mécanisé et que tirait un cheval ou un boeuf.

En attendant cette amélioration, on se sert du râteau manuel, outil qu'il faut manier d'après une certaine technique.

Le râteleur tient le bout du manche de sa main gauche (râteleur droitier) et soulève, de la main droite, le milieu du manche, de façon à éloigner les dents du râteau de 63 à 76 centimètres de ses pieds et le ramener vers lui en pressant les deux mains sur le manche, la main gauche placée sous le manche, la main droite dans la position inverse. Le râteleur adopte un rythme de balancier assez régulier. Quand il lance le râteau à sa droite, il penche le corps vers la droite; le pied gauche se soulève légèrement, le poids du corps reposant sur le pied droit. Quand le râteleur ramène les dents du râteau vers lui, il incline le corps vers la gauche et soulève légèrement le pied droit. Le râteleur gaucher manie le râteau de gauche à droite, en faisant les mêmes gestes.

En lançant le râteau loin de ses pieds, le râteleur doit éviter d'incliner le support des dents du râteau sur un seul bout; cette négligence amène infailliblement la perte d'une dent, ce qui réduit l'efficacité du râteau et exige, à la fin de la journée (ou au temps du dîner), la fabrication et la pose d'une autre dent. . . dont on aura soin de calculer la longueur d'après celle des autres qui ont déjà une certaine usure.

Revenons au faucheur. Le temps des foins venu, il décide de couper le foin dans tel champ plutôt que dans tel autre; le foin est peut-être plus mûr, il doit dégager d'abord telle "saison" pour avoir accès à une autre.

Faulx plus robuste
dite sabre

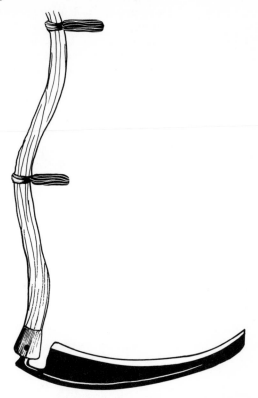

Le faucheur se servira d'un "sabre" de préférence à une faulx, s'il doit faucher parmi les souches. Le "sabre" est une lame tranchante beaucoup plus résistante que la faulx, et son anneau d'adaptation au manche est plus fort que celui de la faulx. Cette dernière est renforcée, au talon, par une broche placée en diagonale entre le fond de la lame et le manche. Le "sabre" se passe de ce support de broche. Même si, par accident, la pointe de l'outil s'introduit dans une souche, sa forte constitution l'empêche de se plier ou de se casser. Un faucheur inhabitué à faucher dans le "sarpé" est exposé à heurter assez souvent sa faulx ou son "sabre" contre les souches ou les racines. D'où la nécessité d'aiguiser son instrument plus souvent que s'il fauche dans un champ déjà en culture. Nous n'insisterons pas sur ces détails, mais certaines sortes d'herbes sont plus difficiles à couper que les autres. Tenons-nous-en à des conditions normales.

Le faucheur procède par coups semi-circulaires successifs. Le droitier (y eut-il des gauchers?) coupe son foin à partir de sa droite et le ramène vers la gauche sur une ligne où se formera l'andain. S'il se penche trop vers la droite, en fauchant, le travail en sera d'autant plus éreintant. Le faucheur prend un rythme régulier, mais pas trop rapide s'il veut faucher longtemps. Le foin qu'abat la faulx, en le tranchant, est entraîné par le mouvement de la faulx et surtout par le talon de la faulx et du manche. Le faucheur attaque les tiges de foin avec la pointe de la faulx, puis il tourne légèrement l'outil de façon que son tranchant rencontre les tiges sous un angle très faible. Le mouvement de courbe que décrit l'instrument l'aide à couper toutes les tiges et à utiliser successivement la pointe, puis, ensuite le centre et le talon de la faulx. Le faucheur abat, à chaque coup de faulx, une bande de 20 centimètres de largeur, sur soixante-onze à soixante-seize centimètres de longueur. Il abattra une planche de 24 à 30 mètres de longueur, et reviendra commencer un autre andain à l'endroit du départ du précédent. Si le faucheur a des compagnons (cas de la corvée), les ouvriers se suivront jusqu'au bout du champ avant de recommencer un autre andain. Si le champ n'est pas trop étendu, les faucheurs en feront le tour sans revenir en arrière.

Pierre à aiguiser portée
dans une jambière de botte

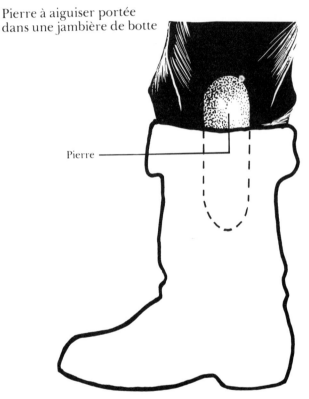

Pierre

En général, quand le faucheur recommence à abattre un nouvel andain, il lui faut aiguiser sa faulx. Il traîne (souvent dans sa jambière de botte) une pierre à aiguiser, une pierre de 25 à 30 centimètres de longueur qu'il promène à un rythme régulier presque musical sur la lame de sa faulx. Ordinairement, le faucheur traîne, suspendu à sa ceinture, un étui en bois (ou en métal) contenant une petite quantité d'eau. La pierre utilisée à sec s'userait peut-être plus rapidement au contact de l'acier, ou du moins donnerait un résultat inférieur. Le faucheur fiche en terre le bout du manche de sa faulx, va appuyer la lame, de sa main gauche, son bras contournant le manche, et commence à attaquer, une après l'autre, les deux faces de la lame, en commençant par la pointe. À chaque partie de l'opération, le faucheur touche du pouce le tranchant de l'outil. Il juge ainsi si telle partie est assez aiguisée pour couper facilement les tiges de foin. Quand il a martelé de la pierre toute la longueur de sa faulx — en mouillant sa pierre de minute en minute — il remet sa pierre dans la jambière de botte — ou dans l'étui suspendu à sa ceinture — et recommence son oscillation délicate de droite à gauche, en avançant d'un pas, à chaque coup de faulx.

Aiguisage de la faulx manuelle

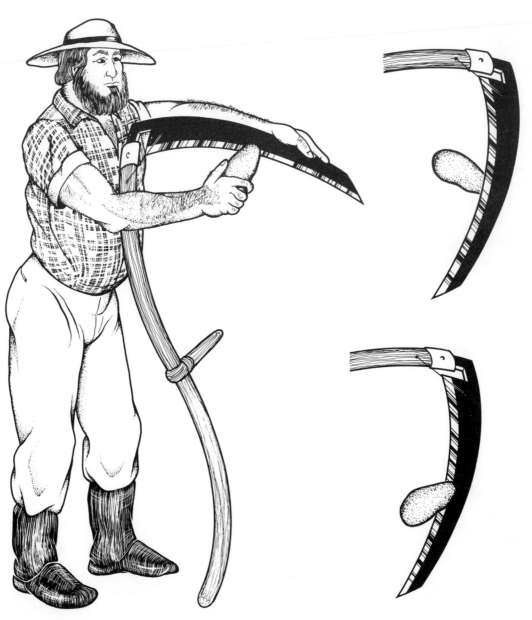

Un jeune faucheur sans expérience sera obligé, un certain temps, de recourir à un vieux compagnon pour aiguiser sa faulx. Un novice peut ruiner la pierre et endommager sa faulx en faussant le biseau de la lame tranchante. L'aiguiseur doit s'habituer à utiliser les deux faces de la pierre, et assouplir son poignet de façon à faire glisser la pierre sous deux angles différents d'après la facette de la lame. Un côté de la lame est horizontal tandis que l'autre rejoint le tranchant par l'entremise d'un angle aigu. La pierre à aiguiser doit tenir compte de ces deux plans différents pour améliorer le tranchant de la lame. Après quatre ou cinq leçons, le jeune faucheur pourra lui-même aiguiser son instrument sans recourir au papa ou au compagnon.

Le faucheur travaille en plein soleil, déploie un effort constant de minute en minute; bientôt la soif se fait sentir. Heureux est-il s'il a pensé à s'apporter de l'eau dans un bocal, encore plus heureux si l'eau s'est conservée froide.

Vers quatre heures de l'après-midi, si le faucheur travaille dans les environs de la maison, un enfant ou la paysanne viendra apporter une tasse de thé et un crouton de pain frais. Le faucheur s'arrête dix ou quinze minutes pour manger et échanger quelques mots avec le visiteur ou la visiteuse. Il reprend la faulx et se balance parfois jusqu'au soleil couchant, surtout s'il lui faut terminer telle planche ou telle "saison".

Dès que le foin est coupé, il meurt et commence à sécher au soleil. Si le foin n'est pas très abondant, il suffira de le laisser sécher sur le champ et de le ramasser en tas ou en veillottes, le jour de la rentrée du foin dans le fenil.

Gaine remplie d'eau portée à la ceinture

Section d'une lame de faulx

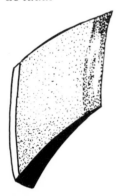

Foin en veillottes

Dès que le foin est coupé, on s'empresse de le râteler et de le mettre en veillottes, si la pluie menace de le tremper. Quand le paysan dispose de l'aide de quelques jeunes membres de sa famille, tous les râteaux seront employés pour aligner de longs bancs de foin. À son tour, le paysan utilisera la fourche pour constituer des veillottes qui protégeront le foin contre la pluie. Ce tas de foin modelé comme un gros bonnet pointu détourne l'eau vers le sol, et absorbe très peu la pluie.

Dès que le soleil réapparaît, le lendemain ou deux jours plus tard, tôt le matin, on "rouvre" les veillottes, c'est-à-dire que l'on éparpille le foin sur le champ, en un rond, autour de l'endroit où s'élevait la veillotte. Les quelques poignées de foin qui ont été mouillées à la surface de la veillotte sèchent sous la chaleur du soleil, pendant une demi-journée. Après le dîner, si le foin est sec, le fermier s'organise pour l'engranger. Même si le colon n'est pas riche, il doit posséder une charrette pour transporter son foin.

À la veille de l'arrivée de la voiture dans le champ, on doit "ramasser" les veillottes. À l'aide de la fourche (parfois une fourche de bois) et du râteau, on remet en tas le foin de la veillotte que l'on a étendu le matin. Le paysan dirige sa charrette vers les tas de foin et, au moyen d'une bonne fourche, dépose le foin sec entre les ridelles de la charrette. S'il a un aide, même un enfant (d'un certain poids) — parfois ce sera sa femme — cet aide s'installe dans la charrette et s'empresse de fouler la "fourchetée" que le paysan vient d'y déposer. Le "foulage" du foin a pour but de placer le plus de fourrage possible dans la charrette. Quand la voiture est pleine, il faut songer à regagner la grange. Mais si la route est houleuse, il y a danger qu'une partie de la charge dégringole à certains points du parcours. Pour éviter cette perte de foin et de temps, le paysan placera une perche, de l'avant à l'arrière de la charge. La perche, un long tronc d'arbre écorcé et assez léger, s'insère dans un trou de l'échelette d'avant, et est lié à la voiture au moyen d'une corde. La perche ainsi disposée presse le foin entre les échelettes et l'empêche de dégringoler.

Une fois à la grange, il faut décharger la charrette. En général, le fenil est situé au-dessus de l'étable pour isoler le plafond de l'étable contre le froid. Le paysan doit reprendre le foin dans la voiture et le transférer dans le fenil, toujours au moyen de la fourche. S'il est seul, il devra tantôt lancer le foin dans le fenil à bout de fourche, tantôt aller tasser le foin dans le local qui lui est destiné. Souvent, un employé, la paysanne ou des enfants se chargent de tasser le foin dans les coins du fenil pendant que le paysan y transborde la charge de la charrette. Ainsi, peu à peu le fenil se remplit, et peu à peu le champ se libère de sa production de foin.

Pendant deux ou trois jours, le paysan fauche une autre pièce de foin et recommence les opérations de séchage et de transport du foin. S'il est seul, on peut s'imaginer la somme de travail qu'il s'impose chaque jour, au temps des foins.

S'il n'a qu'un boeuf ou un cheval, sa réserve de foin pour l'hiver ne devra pas être énorme. Le nombre de chevaux et de bêtes à cornes va augmenter avec les dimensions de la ferme. Chaque printemps, le paysan brûlera un nouvel abattis qui deviendra un nouveau champ d'avoine ou une future prairie de foin.

Après huit ou dix ans de défrichement, de construction de bâtisses, d'économie et de vente de produits de la terre, le paysan se voit propriétaire d'une ferme de plusieurs acres de sol en culture et de plusieurs acres de pâturage. Les clôtures et les fossés ont adopté une direction définitive, la grange se remplit d'instruments de plus en plus mécanisés; l'étable, à mesure que le cheptel augmente, s'est accrue d'une aile ou d'une nouvelle pièce. Le paysan peut maintenant fabriquer son beurre et son fromage, il mange les oeufs de ses volailles, il vend du lait, du poulet, de la viande de boeuf et de porc. Il a quelques enfants qui mangent, mais apportent leur aide. Bref, il commence à sortir de sa condition de pauvre colon. Il est devenu un habitant de bonne réputation, et qui a devant lui un avenir prometteur. Il peut s'acheter une faucheuse mécanique. Dorénavent, il pourra abattre une prairie de foin en une demi-journée, alors que dix ans plus tôt, il abattait la même quantité de foin en une semaine, à la faulx manuelle.

Il vient d'acheter, un peu avant les foins, une faucheuse et un râteau mécaniques.

Cette faucheuse est constituée de deux roues de métal fort et pesant, deux roues dont le pourtour est strié de lames solides destinées à assurer une meilleure force de traction. Ces deux roues sont mises en mouvement, grâce à la force d'un ou deux chevaux. Les roues, en tournant à la surface du sol, actionnent une sorte de vilebrequin ou roue excentrique qui assure le va-et-vient d'un bras. Ce bras fonctionne dans le plan horizontal et entraîne, d'un mouvement très rapide, une faulx à dents triangulaires qui circule dans une coulisse d'acier garnie de longs doigts pointus destinés à diriger les tiges de foin vers les couteaux de la faulx.

Comme le mouvement de la faulx doit être très rapide, il faut que les roues motrices fonctionnent à une certaine vitesse. Si les chevaux ralentissent ou hésitent à avancer, la faucheuse est aussitôt bloquée par les tiges de foin que la faulx n'a pas la force de couper.

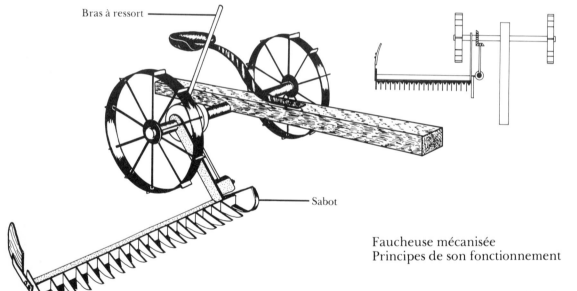

Bras à ressort

Sabot

Faucheuse mécanisée
Principes de son fonctionnement

Dès qu'une pierre, une racine ou une pièce de bois (tout objet impossible ou difficile à couper) s'introduit dans les couteaux de la faulx, toute la machine s'immobilise. Il faut reculer, nettoyer les couteaux de la faulx (enlever l'obstacle) et repartir. Que d'accidents, que de doigts ont été coupés subitement de la main de fermiers trop imprudents pour neutraliser l'embrayage pendant qu'ils libèrent la faulx de tout obstacle!

Il ne faut pas oublier que des leviers, des ressorts de toutes sortes rendent possibles différents mouvements de la faulx; cette dernière pourra circuler à une distance plus ou moins grande du sol, suivant la volonté du fermier qui commande la machine du haut d'un siège. Le dispositif de la faulx est relié à un sabot ou sorte de patin d'acier qui réagit à la moindre déformation du sol ou au moindre caillou qui sort de terre. Un bras à ressort (planchette) de 18 ou 20 centimètres de hauteur est relié à l'extrémité de la faulx et se charge de ramener vers la gauche (la partie fauchée) les tiges les plus éloignées de la machine, c'est-à-dire les tiges abattues par les deux ou trois dernières dents de la faulx. Ce bras nettoie 13 ou 15 centimètres de largeur; cette bande de terrain nettoyée guide le faucheur et lui permet de distinguer certains obstacles (roche, pieu, carcasse d'animal) et d'éviter un accident ou une perte de temps.

La longueur de la faulx peut varier. Si le paysan ne dispose que d'un cheval, il s'achètera une faucheuse de 1,25 mètre de faulx pour n'en utiliser que 1 mètre. S'il dispose de deux petits chevaux, il pourra s'acheter une faucheuse de 1,50 ou 1,75 mètre de faulx; il ira jusqu'à 1,85 mètre de faulx s'il possède deux gros chevaux.

La faulx est à droite de la machine; le faucheur devra donc voir à ce que la pièce à faucher soit à droite. Dans une prairie régulière, il choisira de faire le tour du champ de gauche à droite.

Façons de diriger la faucheuse dans une prairie

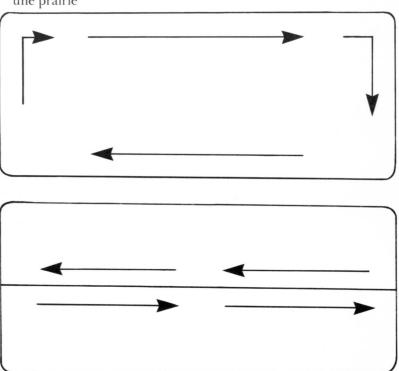

À cause de la disposition du terrain, il choisira parfois d'attaquer la pièce de foin par le centre. Il optera pour ce parcours, surtout si la pièce est très longue et assez peu large. Par un temps de grand vent qui souffle de côté, il acceptera le système du "tour perdu", système qui consiste à faucher en sens unique. Dans ce cas, il fauche à l'aller et, au retour, il ramène faucheuse et chevaux sans abattre le foin.

Il va sans dire que le fermier ne risquera pas d'utiliser sa faucheuse là où le terrain est trop mou, ou dans une pente abrupte, ce qui serait un trop grand danger pour le faucheur, l'instrument et les chevaux. Près des savanes, dans les nouveaux terrains remplis de souches, dans les ravins à pente trop raide, le paysan aura recours à sa faulx manuelle ou "petite faulx".

Le paysan qui fauche à la faulx manuelle, a-t-on signalé plus haut, en aiguise la lame tranchante de temps en temps. Le faucheur qui coupe le foin à l'aide d'une faucheuse mécanique devra penser, lui aussi, à aiguiser les dents triangulaires de sa faulx. Autrement, ses chevaux s'épuiseront à tirer une machine qui bloque à chaque tour et laisse, dans le champ, des touffes de foin seulement froissées. Le faucheur apporte partout, dans son coffre à outils, une lime ou une pierre d'émeri. Une ou deux fois par jour, il aiguise un couteau ou l'autre qu'une pierre a avarié.

Mais, un soir, de temps en temps, il apporte à la maison sa faulx de faucheuse pour l'aiguiser en entier. Il l'installe sur un support solide placé près d'une meule d'éméri cylindrique dont le diamètre du centre est supérieur à celui des extrémités. L'angle de la meule correspond à l'angle formé par deux couteaux de la faulx. En avançant la faulx vers la meule en mouvement (manivelle), on aiguise à la fois l'un des tranchants de deux couteaux. Le lendemain, la faulx donne un meilleur rendement et épargne l'énergie des chevaux.

Aiguiseur de faulx mécanisée

Râteau mécanisé

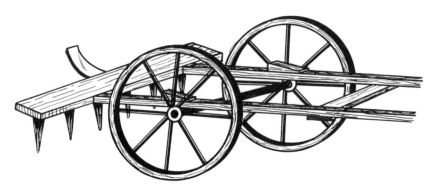

Il est rare qu'un fermier coupe son foin à la faucheuse sans s'être procuré (acheté ou emprunté) un râteau mécanique ou "grand râteau".

Le "grand râteau" sera nécessairement tiré par un boeuf ou un cheval. Il est constitué de deux roues qui supportent un cadre muni d'une barre garnie de longues dents. Au moyen d'un levier, le paysan soulève cette barre quand il a accumulé suffisamment de foin. Le râteau commercialisé a une forme plus esthétique et un maniement plus efficace; de plus, il permet de ramasser le foin en un temps plus restreint. Cet instrument aratoire se déplace sur deux roues métalliques de grand diamètre mais assez légères. Les brancards et une partie de la charpente sont en bois. Il est de largeur assez étonnante: 3 à 3,65 mètres. Une vingtaine de dents longues et recourbées sont fixées d'une façon non rigide à une barre de bois, laquelle barre est actionnée par des ressorts qu'il suffit de mettre en action au moment opportun.

On abaisse les dents au moyen d'un levier; dès que le panier formé par les dents incurvées est plein de foin, le conducteur du cheval tire sur le levier. Les dents se soulèvent de 1 m ou 1,25 m du sol et laissent un beau rouleau de foin. Dès que l'on repousse le levier vers le bas, les dents reprennent immédiatement leur travail de râtelage. Ce système nécessite de la part du conducteur un certain effort musculaire. Il existait un autre système où, au moyen d'une simple pédale, un enfant de dix ans pouvait utiliser le râteau mécanique. La pédale faisait basculer une longue tige transversale qui permettait aux dents du râteau de remonter rapidement grâce à un engrenage actionné par les roues. C'est le cheval qui finalement levait les dents du râteau et non le conducteur.

Passablement léger (90 à 110 kilogrammes), le râteau mécanique n'était pas une charge sérieuse pour le cheval. On voyait souvent un cheval trottiner allègrement en tirant le râteau autour du champ.

Dès que le foin était coupé, si l'on jugeait bon de le râteler et de le mettre en veillottes sans tarder, on procédait comme à l'époque des outils manuels. D'ailleurs, on devait se servir de la petite fourche et du petit râteau pour fignoler la veillotte traditionnelle. Fourches de bois et fourches d'acier ont longtemps servi à "ouvrir les veillottes".

Pendant longtemps on a chargé le foin, à force de bras, dans le "panier" de la charrette ou du wagon de ferme. . . une autre voiture presque indispensable au fermier, et qui a subi de multiples améliorations grâces au talent du colon.

Principes du wagon de ferme

À l'époque des foins on plaçait sur le wagon, le "panier" à foin, sorte de cage à claire-voie formée de deux cadres rectangulaires — le cadre supérieur de plus grande dimension — reliés par des bâtons ou de petits arbres dont on avait enlevé l'écorce. Ce "panier" aussi appelé "rack" contenait plus de foin que la charrette même rentourée de ses échelettes.

Ce wagon, quand il portait de lourdes charges, était tiré par deux chevaux. Il s'agissait d'adapter un timon au sommier antérieur de cette voiture et y atteler deux chevaux au moyen de traits et de palonniers. L'attelage qui convenait à la faucheuse dite "faucheuse double" pouvait s'adapter au timon du wagon de ferme.

Il fallait, comme autrefois, transborder le foin du wagon au fenil. Avant la fin du 19e siècle, certaines compagnies de machines agricoles

"Panier" à foin

vendaient des fourches à foin mécanisées. En principe, cette fourche se composait de plusieurs parties et exigeait que la grange soit pourvue, dans son toit, d'une poutre ou d'un rail permettant à des poulies de se déplacer avec une lourde charge.

Fourche à foin mécanisée

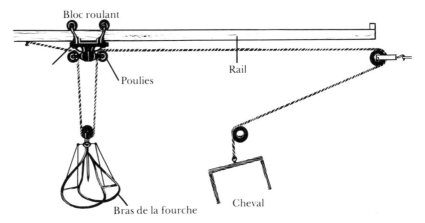

La première partie de la fourche était constituée d'un ensemble de quatre bras mécaniques formés de tiges d'acier assez légères et pouvant emmagasiner une bonne quantité de foin. Cette "brassée" de foin était reliée à un câble et à une première poulie dont le premier mouvement élevait le tas de foin à la hauteur du rail sur lequel un bloc roulant glissait sur le rail dans la direction du fenil.

La voiture rentrait dans la "batterie" sous les palans destinés à monter le foin. On insérait les bras de la fourche dans la masse de foin de la voiture. On dételait le cheval, et on l'attelait au bout du câble qui, par une série de poulies, aboutissait à la fourche. Le premier temps du déchargement consiste à élever la "fourchetée" de foin à la hauteur du rail. Pendant ce premier temps, le chariot est immobile sur le rail. On déclenche (au moyen d'une corde) le chariot, qui se met en branle sous l'effet du câble relié à une poulie fixée au bout du rail, dans le fenil; le cheval continue à tirer sur le câble. Quand la fourche a atteint l'endroit destiné à recevoir le foin, on tire sur une autre corde qui permet aux bras de la fourche de se séparer et de libérer le foin. Le cheval recule (ou revient sur ses pas) pendant qu'un ouvrier tire sur un câble (ou une chaîne) pour ramener le chariot au-dessus de la voiture. On recommence l'opération du déchargement et, en quelques minutes, le foin est remisé dans le fenil, et la voiture peut regagner le champ.

Qu'on n'aille pas croire qu'un fermier seul ait pu profiter des commodités de cette mécanique. Le paysan ne pouvait tirer parti de la fourche mécanique sans utiliser la main-d'oeuvre de deux ou trois fils ou d'autres employés. En bâtissant sa grange, il lui a fallu prévoir la possibilité d'installer dans le toit un rail et les palans nécessaires à la manipulation de grosses masses de foin. Les soliveaux du toit doivent être assez solides pour supporter la charge de foin transportée par le chariot du rail.

Toits de granges en relation
avec la fourche à foin

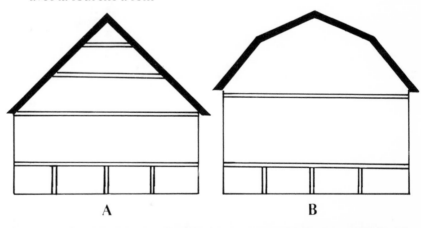

A   B

LE FOIN EN BALLES

Le fermier deviendra souvent, en hiver, un ouvrier de la forêt. Il s'y rendra à son propre compte ou pour le compte d'un entrepreneur. Même s'il n'a pas à nourrir ses chevaux en forêt, même s'il reste sur sa ferme, les contracteurs d'entreprises forestières viendront lui acheter du foin pour nourrir les chevaux qui charroient les billots. Dès 1850 et surtout après 1860, l'expérience a prouvé qu'on ne pouvait transporter à longue distance des charges de foin non pressé. Le moyen le plus pratique pour la vente et le transport, était de comprimer une bonne quantité de foin dans un minimum d'espace. On pensa à préparer des balles (ou des presses) de foin d'un poids ordinaire (45-55 kilogrammes) permettant à un homme ordinaire de les charger et de les décharger assez facilement.

Une autre raison, le manque d'espace dans la grange, incita le fermier à presser son foin. Il y avait un autre moyen de régler ce problème; placer le foin, à l'extérieur de la grange, en une immense meule bien tassée, et aller en chercher au fur et à mesure qu'on en avait besoin. Mais ce procédé entraînait un certain gaspillage, à cause de la neige, de la pluie ou du vent. Le foin, une fois pressé, pouvait facilement s'empiler le long d'un corridor ou même dans un appentis sans trop perdre de son poids et de sa valeur nutritive. On commença donc à presser le foin.

Presse à foin artisanale

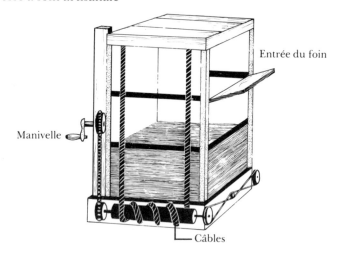

LA PRESSE
MANUELLE

Naturellement, on inventa d'abord une presse à bras, sorte de cage à claire-voie disposée verticalement et munie, à sa base, de deux rouleaux synchronisés autour desquels, au moyen d'une manivelle, on enroulait des câbles. Quand la cage était remplie, on plaçait sur le foin un panneau un peu plus étroit que le cage; ce panneau était relié aux câbles qui le tiraient vers le bas, réduisant ainsi la masse de foin à une "galette" assez épaisse. Dès que l'on ne pouvait plus ajouter de foin dans la caisse, on liait la balle de foin au moyen de harts, de cordes et de broche spéciale. Un côté de la cage s'ouvrait et laissait tomber la balle.

Ce procédé prenait beaucoup de temps et de force physique; il était passablement lent. On vendit un modèle à peu près semblable qui utilisait un bras de levier.

Mais bientôt on en vint à pouvoir acheter un instrument assez encombrant et assez coûteau ($225 en 1897), mais très efficace: la presse à foin était actionnée par les chevaux (cercle complet ou demi-cercle, suivant le prix). Il faut comprendre qu'à cette époque, un instrument si coûteux n'était pas à la portée de toutes les bourses. Mais il suffisait qu'un fer-

Presse à foin manufacturée

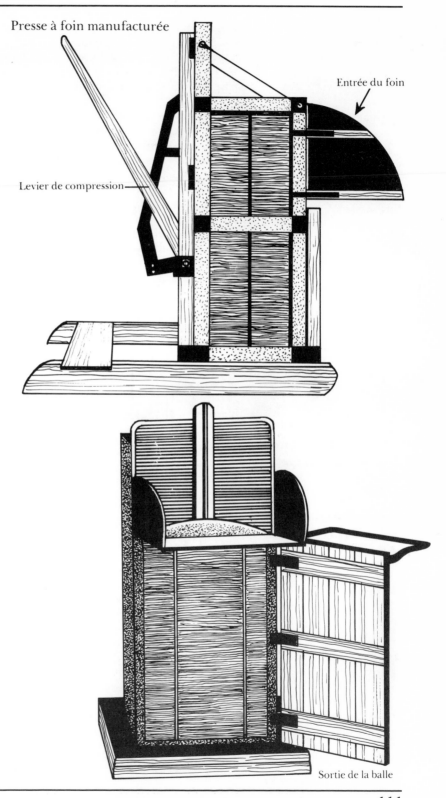

Entrée du foin

Levier de compression

Sortie de la balle

mier achète cette presse dans un canton pour que chacun fasse presser son foin, moyennant rétribution.

Les uns préféraient faire presser leur foin peu de temps après la fenaison, même à la fin de la saison des foins; d'autres préféraient mettre leur foin en balles à l'automne, à l'époque de l'organisation des chantiers.

La presse possédait son propre système de roues et se composait de deux parties: la presse proprement dite et le treuil (dispositif d'excentriques) qui actionnait le pilon à foin. La machine était construite horizontalement. Le principe cependant était le même que pour la presse à bras: une boîte carrée que l'on remplit de foin, et un pilon très puissant qui réduit le contenu de la boîte à une galette de quelques centimètres d'épaisseur. Le pilon revient en arrière, libère une place pour y culbuter une nouvelle quantité de foin. Le pilon avance de nouveau et presse une autre galette de foin près de la précédente. Quand le caisson est rempli, on relie la balle avec deux tiges de broche, et la balle se dirigera, à chaque coup de pilon, vers la sortie où des ouvriers la recueilleront.

Fonctionnement de la presse à foin

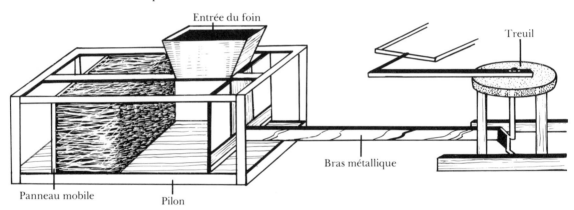

Mais, en pratique, l'opération du "pressage" est un peu plus compliquée. D'abord, la machine se compose d'une cage horizontale et d'un autre bloc contenant la mécanique (treuil) destinée à utiliser la cage. Ces deux parties sont transportées sur roues. Il faut abaisser la presse au niveau du sol, de façon que les chevaux puissent passer par-dessus le bras métallique qui relie le treuil à la presse. En général, on tend à faire disparaître le bras métallique en lui creusant un passage à fleur de terre. Cette opération permet aux chevaux de faire un tour complet autour du treuil sans crainte d'avarier le bras qui actionne le pilon dans la cage.

Une fois les deux pièces en place, un employé s'occupe de faire tourner les chevaux autour du treuil pourvu de différents excentriques qui actionnent le pilon de la presse. Une autre équipe s'affaire à entasser le foin par la porte qui domine la cage. Il faut opérer le chargement de la presse quand le pilon se retire à l'extrémité de la cage et se prépare à revenir. Un panneau mobile, grâce à un ressort commandé par le treuil, recule de quelques centimètres à chaque venue du pilon. Ainsi, le pilon a toujours le même champ de va-et-vient, et ajoute, à chaque voyage, une nouvelle "galette" de foin à la balle qui se forme dans la presse.

Il faut remarquer que l'équipe préposée à alimenter la presse commettait souvent l'imprudence de fouler le foin au moyen des pieds à l'approche du pilon. Plusieurs y ont laissé un pied ou une jambe. On installa bientôt une sorte de bloc de bois qui, synchronisé avec la mécanique du pilon, aidait le foin à entrer dans la presse en plus grande quantité. Nos gens appelaient cette nouvelle pièce un "nigger".

Avant de lancer les premières "fourchetées" de foin dans la cage, une autre équipe a eu soin de disposer dans ces coulisses du panneau mobile deux tiges de broche parallèles (espacées de 50 à 60 cm) qui suivent la balle à mesure qu'elle se forme. Dès que la balle est jugée assez longue, un homme coupe les broches, relie solidement les extrémités de chaque broche et avance le panneau mobile qui sera à l'origine d'une nouvelle balle. Celle qui vient d'être complétée glisse lentement, poussée par la balle en formation, et arrive à la sortie où une autre équipe l'accueille et s'occupe de la déposer dans une voiture destinée au transport des balles de foin.

L'ouvrier qui tirait les balles de foin de la presse avait le temps de la peser avant de la remiser. Le poids de chaque balle était inscrit sur une mince planchette de cèdre que l'on glissait sous la broche à une extrémité de la balle. Lors de la vente, on jetait un coup d'oeil sur cette étiquette et l'on additionnait le poids des balles; en général, on vendait le foin à la tonne (2 000 livres ou 907,2 kilogrammes).

La presse ci-dessus décrite est une presse à cercle complet, c'est-à-dire que les chevaux font un tour entier autour du treuil. Il existait une autre presse où les chevaux (ou le cheval) ne faisaient qu'un demi-cercle. Ces deux instruments avaient un rendement assez semblable, mais la presse à demi-cercle était plus énervante pour les chevaux qui actionnaient le treuil.

Comme nous le voyons, le "pressage" du foin ne pouvait s'exécuter qu'à l'aide de plusieurs équipes. Si le fermier possédait sa presse mécanique, il lui fallait faire une corvée de "pressage" ou louer les services d'ouvriers supplémentaires. En pratique, les fermiers, à l'époque de la mécanisation des instruments, s'échangeaient facilement des jours de travail. Pierre allait aider Jean à faucher une immense "saison" de foin, à condition que Jean accepte de venir lui rendre cette journée à l'époque du "pressage" ou du "battage". Un père avec trois ou quatre garçons en âge de travailler, pouvait procéder au "pressage" de son foin en demandant les services d'un ou de deux ouvriers seulement. C'était un travail un peu trop pénible pour les femmes.

Dans une bonne majorité des cas, le propriétaire d'une presse mécanique était le père de quatre ou cinq garçons, et allait d'une ferme à l'autre pour presser le foin, moyennant rétribution.

Quelques paysans dont le foin était déjà dans le fenil, en retiraient une partie pour le faire presser, si le besoin s'en faisait sentir. D'autres laissaient leur foin en meule dans le champ et le faisaient presser quand l'occasion s'en présentait. Chaque fermier connaissait ses obligations, ses besoins, et organisait ses travaux en fonction de la température, du temps et de la main-d'oeuvre disponibles.

Le foin, une fois pressé, y gagnait à être placé dans un endroit aéré.

La neige et même la pluie ne pouvaient facilement pénétrer dans des balles bien constituées. Mais malheur au fermier qui pressait son foin sans l'avoir laissé sécher suffisamment! Il commençait à "chauffer", à moisir et à pourrir. Si le foin n'était pas très sec, lors du "pressage", le fermier prudent en plaçait les balles dans un endroit exposé au vent et laissait un espace entre les piles de balles pour faciliter le passage de l'air.

Avant la fin du 19e siècle, on pouvait acheter une machine très simple destinée à monter, sur un plan incliné, les balles de foin au deuxième étage de la grange. De même, on pouvait aussi se procurer une machine pour charger mécaniquement le foin dans la voiture. Pour le distribuer plus facilement aux animaux on pouvait utiliser une scie spéciale destinée à diviser les "galettes" de foin.

LE GRAIN

La saison des foins est terminée; le fourrage a été engrangé. Pendant les trois ou quatre semaines qu'a duré la fenaison, le grain a grandi et mûri. Mais tout le grain n'a pas été semé en même temps, ni dans une terre de même qualité. De plus, certaines sortes de grain mûrissent plus tôt que les autres. Il n'est pas rare que le champ d'orge soit prêt à être récolté avant la pièce d'avoine, et l'avoine avant le blé.

À la fin de ses foins, le paysan avait peut-être été tenté de reprendre sa faulx et d'aller faucher son grain. Il aurait pu le faire et il le faisait souvent, quand telle pièce de grain était destinée aux animaux. Certains mélanges de grains se coupaient avant la totale maturité et servaient, pendant l'hiver, à nourrir les bêtes à cornes.

Mais plaçons-nous d'abord dans l'hypothèse où le paysan n'a pas ou très peu de bêtes. Le peu de grain qu'il a semé doit servir à son pain, à sa table et à la semence de l'année suivante. Les grains d'orge grillés lui fourniront une sorte de café; moulus, ils lui donneront une farine nourrissante que la paysanne servira sous forme de galettes. Le blé moulu servira surtout au pain, les pois serviront à la soupe, l'avoine servira à enrichir la nourriture du cheval et du boeuf de trait. Plus tard, le paysan plantera du lin, quand il sera outillé pour en faire de la toile.

Le minimum d'outillage requis, pour entreprendre les récoltes de grain, est une faucille pour couper les tiges. Certains vieillards parlaient de tisons que l'on utilisait pour couper la paille, mais nous rencontrons cette technique surtout dans les contes populaires.

Coupe du grain à la faucille

La faucille est faite d'une lame d'acier recourbée et fixée à un manche de bois. La lame d'acier est tranchante et même garnie de dents très aiguës. De la main gauche, le moissonneur empoigne plusieurs tiges de paille, et, de la main droite, il entoure cette poignée de tiges du cercle de sa faucille et donne un coup de lame en imprimant un léger mouvement de rotation. La faucille coupe ces tiges; le moissonneur les tient dans sa main et y ajoute celle d'une autre poignée. Quand il a la main pleine, il dépose ces tiges ensemble près de lui. Quatre ou cinq poignées forment une javelle. Plus tard on empilera plusieurs javelles en vue d'en faire une gerbe. Le moissonneur devait se pencher la tête à la hauteur des tiges, tenir son équilibre et couper ses poignées de paille. D'autres, plus jeunes ou peu entraînés à cette gymnastique, se plaçaient un genou en terre. On travaillait en silence et rapidement, essayant de battre le record d'un compagnon. Travail très fatigant pour les reins, travail dangereux pour les doigts toujours menacés par une faucille tranchante. Le moissonneur distrait ou trop rapide risquait de se blesser les jointures.

Le moissonneur fonçait dans le champ de grain, en alignant les javelles. Parfois les enfants ou la paysanne transportait les javelles l'une sur l'autre pour en faire des gerbes à lier. Souvent, après une heure ou deux de "coupage" à la faucille, le moissonneur transportait lui-même les javelles. Une fois le grain coupé, il fallait procéder à "l'engerbage". Cette opération comportait deux temps; l'accumulation des javelles en une seule, ce que pouvait facilement faire un enfant de 7 ou 8 ans, et ensuite l'assemblage des tiges de cette gerbe au moyen d'un lien, opération qui exige une technique assez précise. Encore là, la technique du lien doit être telle que, au moment du battage, le paysan ne perde pas de temps à défaire les liens.

Javelle sur le lien (hart)

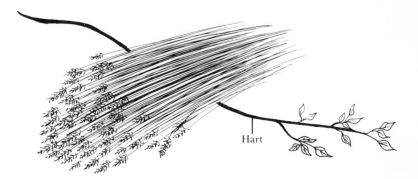

Hart

Ces liens étaient de deux sortes: les liens en hart et les liens de tiges de grain. On allait cueillir les harts, la veille ou le matin de "l'engerbage". Si on les avait cueillies plus tôt, on devait les conserver "vertes" en les plaçant dans l'eau ou dans une terre très humide.

On coupait des harts ou fines branches de coudrier ou de cornouiller dont on enlevait les fausses pousses, sauf les feuilles de la tête. Ces deux branches, jointes par la tête, devaient être assez fortes pour lier la gerbe, assez longues pour faire le tour de la gerbe et laisser un segment qui, disposé en une sorte de boucle, servait de point d'ancrage au lien. On commence d'abord par placer une hart par terre et y déposer une javelle de grain, la partie feuillue de la hart à gauche de la javelle. Le lieur se met à genou, également à gauche de la javelle. Il saisit de la main gauche, la tête de la hart qui gît par terre, en ramasse une autre de la main droite, et d'un mouvement rotatif enroule une dans l'autre les deux têtes des harts. Un genou par terre, l'autre sur la gerbe, le lieur saisit les deux bouts des harts et en presse la gerbe. Celle-ci se ramasse en une botte serrée. Le lieur saisit une hart de la main gauche et en plie l'extrémité vers le haut; de son autre main, il attrape le bout de l'autre hart, le fait tourner deux ou trois fois autour de la hart tenue par la main gauche, et ramène le reste vers la droite. Ce reste de quelques centimètres, il le plie en une sorte de grand U renversé et le glisse entre la paille et le lien de hart. La partie tortillée autour de la hart qui était retenue par la main gauche ne peut pas glisser, la hart va en grossissant, et l'autre partie coincée entre le lien et la gerbe, séchera dans cette position et tiendra la gerbe bien fagotée jusqu'au jour du battage.

Lien de tiges de grain

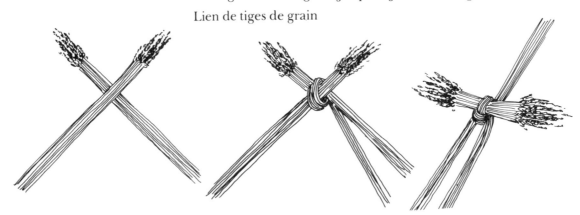

On peut appliquer à peu près le même principe pour fabriquer un lien d'une coite* de grain. On choisit deux coites de grain, l'une de six ou sept brins et l'autre d'une dizaine de pailles. Un peu plus bas que les épis, on dépose l'une sur l'autre ces deux coites en croix de saint André, en ayant soin de placer la plus petite en dessus. De la main droite, on enroule la plus grosse coite autour de la plus petite (de façon à passer en A), puis on divise (des doigts de la main droite) cette grosse coite en deux parties égales (approximativement); on fait passer la petite coite entre les deux parties de la grosse. On tire sur les bouts de ces deux coites, et le lien est préparé. On place le lien par terre et on y couche la javelle. Le lien peut être préparé par un enfant de 8 ou 10 ans; il peut aussi déposer la javelle sur le lien. Dans le cas des harts, l'enfant peut déposer la javelle sur une hart, et laisser l'autre tige de bois flexible bien en vue sur la javelle.

Dans le cas du lien de tiges de grain, le lieur procédera comme dans le cas des harts. Il saisit de la main gauche la partie gauche du lien, fait tourner deux ou trois fois sous son poignet gauche la partie droite du lien; il plie l'extrémité droite en une sorte de U renversé qu'il glisse, en

* Ensemble des tiges constituant une sorte de couette de cheveux ou de crin. Nous continuerons à employer ce mot au cours de ce chapitre.

s'aidant de son pouce, sous la partie du lien déjà serrée par l'élasticité de la paille.

Le lieur va d'une javelle à l'autre et d'un geste presque mécanique forme les gerbes ou "bottines" de grain. À la fin de la journée — ou à la veille de la pluie — il met les gerbes en "quintaux", c'est-à-dire qu'il les rassemble et en fait des espèces de tentes à toit pointu, les épis formant le sommet du toit. On plaçait, en général, six gerbes — deux groupes de trois — sur deux rangs parallèles, et souvent on en plaçait deux autres, une à chaque bout, pour consolider cette sorte de tente. Cette disposition en hutte n'a d'autre but que d'accélérer le séchage des épis. Exposé au vent et au soleil, isolé du sol, le grain des épis parvient plus facilement à une parfaite maturité et rend les épis plus aptes à libérer les grains qu'ils contiennent.

Gerbe liée
(lien de tiges)

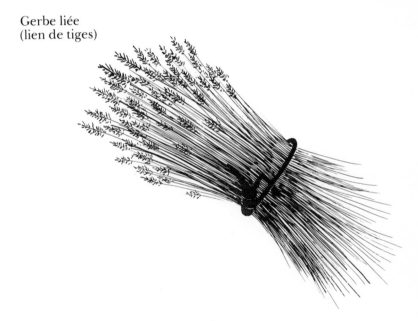

Les rangées de quintaux s'étirent dans les champs pendant que l'avoine ou le seigle de la "saison" voisine attend la visite du moissonneur.

Gerbes disposées en "quintaux"

Nous avons parlé de cet instrument du genre le plus primitif, la faucille. Reste à montrer la grande amélioration qu'a apportée le javelier dans la technique des récoltes du grain. Le javelier n'est autre qu'une faulx manuelle utilisée non pour le foin mais pour le grain. Le javelier coupe plusieurs poignées de tiges à la fois et les réunit en une javelle. À la base du manche de la faulx est disposé un support assez rigide — bâton vertical — supportant deux ou trois tiges légères qui s'avancent parallèlement au-dessus de la faulx en formant une légère courbe. À l'endroit de la poignée inférieure du manche, une tige presque verticale supporte des tiges d'osier qui forment une sorte de panier en rejoignant, presque à angle droit, les tiges parallèles à la faulx. Au lieu de tomber par terre une fois tranchées, les tiges se concentrent dans le panier d'osier, grâce à la position penchée vers la droite, position que le moissonneur imprime au manche du javelier dès qu'il a coupé une cinquantaine de tiges, en promenant la faulx en un geste semi-circulaire. Les tiges supportées par le cadre ou panier d'osier sont bientôt renversées sur le champ et forment une javelle qui, ajoutée à une autre javelle, formera une gerbe. Le javelier rend moins pénible qu'à la faucille la coupe du grain mais il ne change rien au travail du lieur de gerbes.

Nous avons vu, plus haut, que la faulx manuelle a cédé sa place, dans la plupart des cas, à la faucheuse mécanique. De même, le javelier a vite cédé sa place à la moissonneuse mécanique. Notons, en passant, que les paysans de 1880 ont connu la moissonneuse non-lieuse et que dès 1890, arrivait sur le marché la moissonneuse lieuse. Prenons d'abord connaissance de la première.

Javelier

La moissonneuse non-lieuse est fondamentalement une faucheuse mécanique assez perfectionnée pour couper les tiges du grain et les déposer sur le sol en javelles. C'est une faucheuse mécanique à laquelle on a ajouté une table adjacente à la faulx; la table reçoit les tiges de paille qui se couchent bien en ordre sous la poussée délicate d'un râteau (ou planchette garnie de dents). Quand le moissonneur constate que la javelle est assez volumineuse pour en faire une gerbe, il actionne, de son pied, un petit levier qui maintient le râteau à la hauteur de la table et jette la javelle derrière la moissonneuse.

Le râteau, synchronisé à un engrenage, descend juste à la hauteur de la faulx pendant que celle-ci coupe quelques rangs de tiges, puis remonte presque verticalement et reprend sa course rotative presque verticale. Il redescendra à son tour après que deux ou trois autres râteaux seront descendus pour aider les tiges à se coucher en ordre sur la table. En fait, les quatre ou cinq râteaux tournent autour d'un axe, chacun muni d'un rouleau d'appui qui court de gauche à droite sur une couronne irrégulière. Celle-ci subit une inflexion subite vers le bas et revient immédiatement au niveau qu'elle vient de quitter. Cette inflexion fait subir au râteau une descente vers la table et une remontée immédiate à sa position initiale. Quand le moissonneur appuie son pied sur un déclic, l'inflexion vers la table se prolonge et permet au râteau de balayer la table depuis la faulx jusqu'à l'arrière, c'est-à-dire de projeter la javelle dans le champ. Cette inflexion prolongée est due à une autre route parcourue par le rouleau d'appui du râteau. Le déclic a fait baisser une partie de la couronne, de sorte que le rouleau d'appui entraîne le râteau à un niveau plus bas.

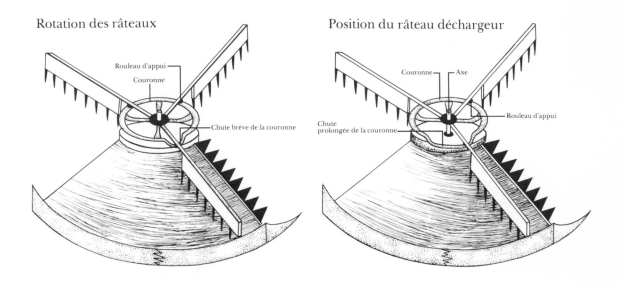

Rotation des râteaux

Rouleau d'appui
Couronne
Chute brève de la couronne

Position du râteau déchargeur

Couronne — Axe
Rouleau d'appui
Chute prolongée de la couronne

La table de la moissonneuse est arrondie de façon à épouser la course circulaire du râteau. Les tiges tombent sur la table, les épis dirigés vers l'arrière (rôle des râteaux). Quand le moissonneur fait "décharger" la table, les tiges de l'extérieur de cette plate-forme sont poussées vers son centre et roulent sur celles de l'intérieur pour former une javelle qui tombe sur le sol à angle droit avec la roue motrice de la faucheuse, les épis opposés à la pièce de grain encore debout. Quand la moissonneuse a coupé toute la pièce de grain, il faut procéder à "l'engerbage" et à la mise en quintaux.

Moissonneuse-lieuse

L'autre moissonneuse, la lieuse, va supprimer la longue opération de "l'engerbage". C'est une machine plus lourde que la précédente, munie également d'une faulx et d'une table sur laquelle tombent les tiges de grain. Les râteaux sont remplacés par une large roue à pales qui dirige les tiges vers la table. De la table, le grain tombe sur des toiles qui changent la direction des tiges et les entraînent dans une série de rouleaux qui forment d'abord la gerbe. Ensuite, un mécanisme assez compliqué, dont une pincette en bec d'oiseau, noue une corde (fil à lieuse) autour de la gerbe, une lame tranchante coupe la corde, pendant qu'un levier libère la gerbe et la lance dans le champ à quelques pieds de la machine. Cette moissonneuse lourde, encombrante, est tirée par deux ou trois chevaux qui, au premier abord, sont énervés par le bruit de multiples engrenages, courroies et chaînes qui transmettent le mouvement aux diverses parties de la machine.

Le soir, le propriétaire couvrira cette machine d'une immense toile pour la protéger contre la pluie, l'humidité ou la poussière. C'est une machine coûteuse et qu'il faut surveiller de près. Quand on la transfère dans une autre pièce, ou si l'on doit emprunter une route ordinaire, il faut tourner la table au-dessus du timon et ajouter une roue de support pour rendre l'appareil plus facile à tirer. Au début de chaque jour de "coupage", le propriétaire de la machine doit en huiler les principales pièces pour prévenir l'usure.

La moissonneuse-lieuse est un instrument assez coûteux; il arrivera souvent qu'elle soit la propriété d'un fermier du rang ou du canton. Comme cette machine, tirée par de bons chevaux, travaillait assez rapidement, il était avantageux de payer une journée (ou quelques heures) de salaire, à l'époque des récoltes, pour faire couper une grande pièce de blé ou d'avoine en un seul jour. Il était entendu que, en plus du salaire, le fermier qui louait les services de la lieuse devait donner à dîner (et à souper) au propriétaire de la machine et à ses chevaux. Le coût du "fil à lieuse" s'ajoutait parfois au prix de la location. Il était rare qu'un fermier emprunte simplement ces grosses machines, à moins d'en reconnaître parfaitement le fonctionnement.

Pendant que la lieuse faisait le tour du champ, un homme (ou quelques jeunes) s'occupait à réunir les gerbes en "quintaux". Ces gerbes, liées à la corde, étaient un peu moins solides que celles de technique manuelle, mais, dans l'ensemble, les résultats étaient satisfaisants. On pouvait revenir, une fois ou l'autre à la coite-lien, si la corde-lien était défectueuse.

Que le grain ait été coupé à la faucille, au javelier, ou à la moissonneuse, une fois sec, il devait être engrangé. Il fallait d'abord le transporter vers la grange dans une charrette ou un wagon de ferme.

Les gerbes ne se transportent pas comme le foin; elles sont plus pesantes qu'une botte de foin de la même grosseur. Le paysan devra les charger une par une, ou deux par deux, dans la voiture. Les gerbes sont rangées dans la voiture, les épis tournés vers le centre pour les empêcher de s'égrener. Si l'on utilise la charrette, on pourra ainsi transporter un bon nombre de gerbes à la fois, mais il ne faudra pas trop fatiguer les deux roues. On se servira surtout du wagon de ferme sur lequel on pourra placer une sorte de plate-forme pourvue de ridelles à l'avant et à l'arrière. Cette plate-forme est plus apte à transporter les gerbes que le "panier" à foin. Un homme (ou un jeune homme), placé sur la plate-forme, arrime les gerbes pour ne pas perdre de place et ne pas trop froisser les épis de grain.

Quand la voiture est entrée dans la "batterie", on procède au déchargement des gerbes. Il n'est plus question d'utiliser la fourche mécanique, moyen qui occasionnerait trop de danger pour les épis. On les déposera délicatement dans la "tasserie" au moyen de la fourche manuelle. Les "tasseries" étaient situées dans le voisinage de la "batterie". On pouvait même disposer des pieux ou des lambourdes sur les entraits qui traversent la grange pour y empiler les gerbes jusqu'à la période du "battage". Le grain continue de sécher en attendant qu'on le batte au fléau ou à la batteuse mécanique.

Le battage

La "batterie" tire son nom de l'opération "battre le grain". Dans les fermes traditionnelles, on battait le grain dans la "batterie", cette large plate-forme solide qui traversait la grange dans le sens de la largeur et donnait accès aux "tasseries" où l'on empilait la récolte, à l'automne. En général, le battage commençait avec l'hiver, sauf si l'on avait besoin de grain (pois, orge, blé) pour la cuisine, ou si le paysan devait quitter sa ferme, l'automne, pour aller travailler dans les chantiers, en forêt. Dans ce dernier cas, le battage avait lieu peu de temps après la fin des récoltes de grain.

L'instrument le plus ancien que l'on ait connu dès les débuts de la colonie canadienne, est le fléau. C'est un instrument composé de deux bâtons, l'un, plus court et plus pesant (en général de bois dur), le "batte", est relié, par l'entremise d'un lacet de cuir à un bâton plus léger et plus long (le maintien ou le manche). Le paysan lance les gerbes dans la "batterie", les délie et étend les tiges de grain, sur deux rangées de façon que les épis d'une gerbe soient juxtaposés aux épis de la gerbe d'en face. Il saisit ensuite le manche du fléau, le soulève sur son épaule vers l'arrière et rabat le "batte" sur les épis. Il ne doit pas frapper trop fort pour ne pas fendre les grains et doit adopter un certain rythme souvent dirigé par celui d'une chanson. Quand deux ou quatre batteurs se réunissent pour battre le grain au fléau, ils se placent d'ordinaire, l'un en face de l'autre, adoptent un rythme lent mais régulier qui leur permette de ne pas se nuire et de distribuer les coups d'une façon ordonnée. De temps en temps on retourne les tiges pour vider plus facilement tous les épis en les frappant entre le fléau et le plancher.

Fléau

Quand les épis sont vides, on ramasse le grain au moyen d'une pelle de bois, de préférence, et l'on étend encore quelques gerbes sur lesquelles on frappe à coups de fléau. Il paraît que, durant les gros froids d'hiver, les épis éclataient plus facilement qu'en automne.

Pendant les quelques heures de maniement du fléau, on a accumulé un bon tas de grain; on a également remisé la paille qui servira à nourrir certains animaux, même à remplir des paillasses sur lesquelles on dormira.

Le vannage

Il s'agit maintenant de débarrasser le grain de la balle et des brindilles de paille qui se sont mêlées au grain. Le paysan doit vanner son grain. Il utilisera un instrument très simple, le van. Même si étymologiquement le mot van n'a aucune relation avec le vent, on employait le van soit dans le vent du dehors ou le courant d'air que l'on créait dans la "batterie" en ouvrant un soupirail à l'arrière.

Van

Le van était une sorte de grand panier d'osier à fond plat, de forme voisine à celle du fer à cheval, et rentouré d'un rebord très mince s'étendant autour du van, sauf à la partie rectiligne du devant. Le vanneur se plaçait près d'une porte ouverte où l'air circulait, jetait quelques pelletées de grain dans son van, saisissait l'instrument par les deux poignées et, à l'aide de son genou, soulevait le van, lançait le grain en l'air et le rattrapait aussitôt. Le grain, plus lourd que la balle et les pailles, retombait dans le van, mais libéré, grâce au courant d'air, d'une partie des éléments privés de valeur nutritive. Après quelques sauts dans les airs, le grain était nettoyé des brindilles de balle et de paille. Le vanneur vidait son van dans une boîte (ou un baril) en attendant de l'ensacher ("empocher") pour le déposer dans son grenier. Le paysan devait passer quelques heures à faire sauter le van au bout de ses bras avant de transporter hors de la "batterie" les premiers sacs de grain de sa récolte. Qu'il s'agisse de blé, d'orge ou d'avoine, ou de tout grain destiné à être moulu, il fallait utiliser le van. Évidemment, le grain qui devait servir de nourriture aux volailles ou aux chevaux n'était pas nettoyé avec autant de soin. Mais à toutes les époques, le blé destiné à la farine et à la semence était débarrassé de tout élément étranger. Il ne fallait pas abîmer la meule du meunier, ni, lors des semailles, jeter en terre des graines indésirables.

Le tarare (crible)

Vers le milieu du 19e siècle, apparut un instrument plus lourd mais plus efficace que le van, le tarare ou le crible. En fait, le crible existait sous le régime français, mais il était plus encombrant, composé de plusieurs pièces, et donnait un rendement moindre que le tarare du 19e siècle.

Tarare (crible)

Le tarare était un instrument dont les pièces essentielles étaient renfermées dans une sorte de grosse boîte munie de mancherons permettant à deux hommes de la déplacer. Disons, en passant, que cet instrument était fabriqué par nos menuisiers durant les mois d'hiver (voir Séguin, *La civilisation traditionnelle*. . . p. 658; Barbeau, *Maîtres artisans*, p. 96). Le tarare comprenait deux parties essentielles: l'éventail produisant un fort courant d'air, et un cadre dont le mouvement saccadé permettait à des tamis de débarrasser le grain des graines parasites et des débris de balle ou de paille. Le gros éventail est enfermé dans une sorte de boîte cylindrique fermée à un bout et ouverte à l'autre bout. L'éventail est actionné par une manivelle que tourne le vanneur. En plus de produire le vent en faisant tourner l'éventail, la manivelle donne le mouvement à une roue excentrique qui transmet — au moyen d'une bielle — au cadre portant les tamis, un mouvement saccadé, de gauche à droite ou d'avant et arrière. Le grain est introduit dans le tarare en le vidant dans l'entonnoir; il tombe sur le cadre garni de treillis de différentes graduations de triage. Le courant d'air créé par l'éventail lance en arrière du tarare les éléments plus légers que le grain. Les tamis secouent le grain et lui permettent de se libérer des impuretés qu'il contient et de se séparer en différentes catégories: grain plus gros ou plus petit, graines de mil ou de trèfle, graines de mauvaises herbes. Le bon grain tombe dans un dalot, et les autres graines dans un récipient différent. Le mouvement saccadé du cadre, produit un bruit régulier, rythmé sur la vitesse de la manivelle. Le vanneur n'a pas intérêt à trop accélérer la vitesse, ce qui ne permettrait pas à l'instrument de séparer les graines d'une façon aussi satisfaisante.

Détail des parties du tarare

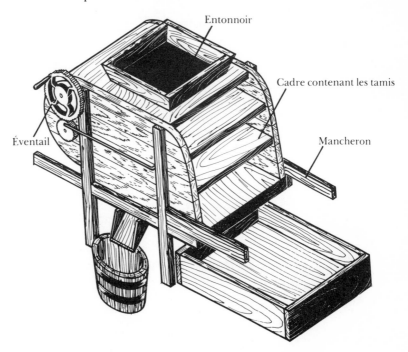

Entonnoir

Cadre contenant les tamis

Éventail

Mancheron

La batteuse mécanique

D'abord appelée "égreneuse à vent", la batteuse était intimement reliée à un moulin à vent. Le Journal d'agriculture de juillet 1849 (page 223) [1], donne le nom d'un "fabricant de machines à battre les grains". L'égreneuse est formée d'une forte caisse horizontale fabriquée de bois de pin dans laquelle glisse un pilon de tôle mû par des roues à poignets excentriques. La machine est reliée par une chaîne sans fin à une roue à vergues qui tourne à l'extérieur sous l'effet du vent. Une sorte de plate-forme de bois perforée de trous de mèche, placée sous la caisse de l'égreneuse, retient la paille et laisse tomber le grain.

Égreneuse mue au moulin à vent

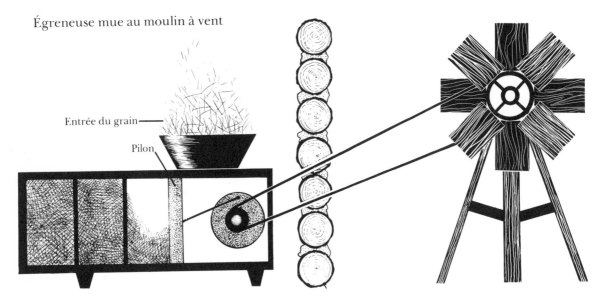

Entrée du grain

Pilon

Cette égreneuse pouvait aussi fonctionner aux dépens d'une autre force motrice: le boeuf ou le cheval qui pouvait actionner la "roue penchée" ou le "marche à terre".

La "roue penchée" était un manège circulaire installé sur un plan légèrement incliné. C'était une roue assez grande (3,5 à 4,5 m de diamètre) recouverte de madriers convergeant vers le centre. Cette roue inclinée repose sur plusieurs réas fixés à un cadre de poutres solides. La roue fait tourner un axe qui, par l'entremise d'un engrenage d'alluchons, fait rouler une tige reliée à une poulie munie d'une courroie. Le cheval ou le boeuf était contraint de marcher à un endroit très précis indiqué par une sorte de clôture qui empêchait l'animal de tomber en dehors du manège.

Le "marche à pied" était formé d'une roue horizontale tournant également sur des réas et munie d'engrenages à alluchons comme la "roue penchée". Des timons fixés à la roue permettaient au fermier d'atteler un boeuf ou un cheval à l'extrémité de chaque timon. Un autre système consistait à faire tourner à plusieurs pieds au-dessus de l'animal (ou des animaux) une roue d'assez grand diamètre reliée à un axe solidaire du manège actionné par le timon ou les timons. La poulie motrice tournait à plusieurs pieds au-dessus des chevaux et transmettait l'énergie à la bat-

1. Cité dans **La civilisation traditionnelle, aux XVIIᵉ et XVIIIᵉ siècles,** par Lionel Séguin, p. 661.

Roue penchée ou "marche à terre"

Roue mobile autour d'un pivot — Réa

Manège à timon
ou "marche à pied"

teuse ou à la scie circulaire. Ce principe était celui que l'on a adopté dans le "horse-boat"* qui n'était qu'un traversier. Des chevaux tournaient dans la cale du bateau autour d'un axe qui actionnait une roue sous le pont et transmettait le mouvement aux roues à aubes de chaque côté du bateau. C'est un système qui a été en usage entre Québec et Lévis, entre Montréal et Longueuil, et à plusieurs endroits du sud de l'Ontario, même à l'époque de la vapeur. Le "horse-boat", qui se contentait d'aller lentement, dispensait le propriétaire de maintenir la vapeur toujours à une haute pression, même alors que le bateau était amarré au quai. C'était un système économique.

Revenons sur terre, vers les 1870, à l'époque où l'égreneuse pouvait battre le grain par la force du vent et la force animale.

Trépigneuse ou "piloteux"

Vers 1880, apparaît une autre sorte de batteuse mue par la force animale: la trépigneuse (le piloteux). * Décrivons d'abord la trépigneuse. Elle est formée d'un cadre de bois dur et solide supportant une bande mobile, sorte de tapis roulant, fonctionnant sur plan incliné. Cette bande roulante, faite de colliers d'acier reliant des planchettes de bois (7,5 x 15 x 76 cm), se mouvait de haut en bas, grâce à une multitude de réas qui circulaient sur une rainure d'acier fixée au cadre de bois. Le

*"Les voyages vers 1800" par l'abbé Albert Tessier, dans *Les cahiers des dix*, Montréal, 1941, pp. 95-96: le "horse-boat".

"Les horse-boats", par Beauséjour, dans *Bulletin des Recherches Historiques*, Edit. Georges Roy, Lévis, 1900, vol. 6, n° 6, p. 191.

"Le horse-boat de la Pointe-Gatineau", dans *Bull. des Rech. Historiques*, Edit. Georges Roy, Lévis, 1936, vol. 42, n° 9, p. 508.

* À lire: **Appendice,** section L, p. 8.

poids du cheval mettait en branle la piste mobile qui, à son tour, actionnait un axe relié à une immense roue. Quand le cheval montait sur la trépigneuse, la roue était immobilisée par un frein. Le paysan, en relâchant le frein, commandait à son cheval d'avancer, comme si l'animal était attelé à une voiture. Le cheval sentait le terrain manquer sous ses pattes; il tentait d'avancer, mais ne le pouvait: la piste se dérobait sous ses pattes. L'immense roue de la trépigneuse amenait la force motrice à la batteuse au moyen d'une large courroie. La poulie centrale de la batteuse étant d'un diamètre très restreint, la vitesse de certains tambours de la machine était multipliée des dizaines de fois.

Maintenant, la batteuse! La première batteuse, ne l'oublions pas, n'avait d'autre rôle que de séparer le grain de la paille. Il fallait ensuite utiliser le tarare. La batteuse était composée d'une boîte de bois qui renfermait quelques pièces de mécanique, les unes destinées à décortiquer les épis, les autres à diviser le grain de la paille. La pièce maîtresse de la batteuse était le "tambour" ou gros cylindre d'acier qui recevait de la trépigneuse la force motrice. Ce gros tambour d'acier tournait à une vitesse folle. Il était muni de dents d'acier de forme plate vissées dans la surface du cylindre. Ces dents étaient disposées en rangs passablement serrés mais sur des lignes hélicoïdales. Sous ce "tambour" était fixée une pièce de métal vissée au cadre de bois et munie de dents d'acier semblables à celles du "tambour". Chaque dent du cylindre mobile venait passer entre les dents de la pièce fixe. Chacune des dents du tambour était capable de passer — sans frotter — entre les dents de la pièce fixe. Malheur si un chicot, un clou ou une petite roche tentait de se faufiler en même temps que les tiges de paille entre les dents du "tambour"! N'oublions pas que le cylindre tournait à toute vitesse de haut en bas, c'est-à-dire que les dents du tambour descendaient rencontrer la rangée de dents fixes. Si une pièce étrangère passait dans la paille, la batteuse bloquait instantanément, ou bien une ou deux dents se brisaient, ou bien la pièce était déchiquetée et avalée par la machine.

Batteuse mécanisée

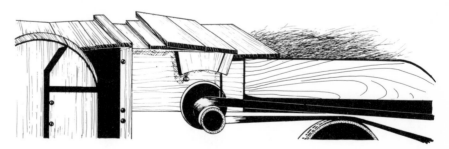

Le batteur principal — car il fallait être plus d'un — se tenait près d'une table inclinée vers le "tambour", détachait la gerbe et éparpillait les tiges sur cette table très glissante. La vibration de la machine aurait fini par faire descendre les tiges dans le "tambour", mais assez lentement. Le batteur se chargeait, au moyen d'une coite de grain, d'aider les tiges à se précipiter vers le "tambour". En général, le batteur se couvrait les mains de mitaines de cuir pour se protéger contre les chardons. Si la

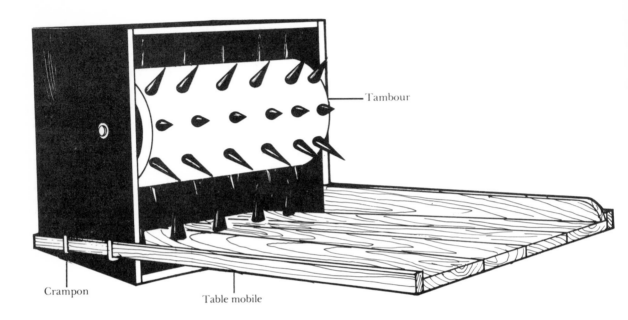

Tambour de batteuse
et table mobile

Tambour

Crampon

Table mobile

mitaine avait le malheur de s'approcher trop près des dents du tambour, elle était happée et déchiquetée sans merci. De même les doigts du batteur imprudent! Que de doigts et même de mains de paysans ont été mutilées dans cette batteuse!

En passant entre les dents du "tambour", le grain a été séparé de la paille. Des godets entassés sur une toile mobile recueillent le grain; la paille est entraînée par une autre courroie. Le grain tombe devant une bouche qui lance un jet d'air pour enlever le plus gros de la balle. La paille va tomber plus en avant, amenée par une toile garnie de lattes transversales.

Avant de commencer le battage, il a fallu jeter les gerbes du haut de la "tasserie" et les empiler près de la table du batteur principal. Celui-ci, une fois la machine en marche, prend les gerbes une par une; d'un geste mécanique, il enlève le lien. Ici, il faut nous arrêter pour nous rappeler de quoi le lien est constitué: hart, coite de grain ou corde. Dans chaque cas, il faut perdre le moins de temps possible. La technique régulière du lien est précieuse.

Dans le cas de la hart, le batteur tire sur le U renversé qu'il a inséré entre la première liane et la paille. D'un coup sec il retire la hart et la lance, par-dessus son épaule, loin derrière lui. Il serait très imprudent de la lancer dans le tambour: ceci causerait une catastrophe.

Dans le cas du lien de tiges, il tire vers lui la demi-boucle qui retient le lien, dégage ce dernier et le lance le premier dans le "tambour". Ensuite, il libère peu à peu les tiges de la gerbe.

Si l'on a lié les gerbes au moyen d'une corde, il lui faut avoir un couteau dans la main droite, couper la corde, l'attraper de la main gauche, la jeter à ses pieds et commencer à émietter la gerbe sur sa table, devant le tambour.

La corde n'arrêterait probablement pas la batteuse, mais, dans la paille, elle pourrait rendre certains animaux malades. Il faut donc empêcher que les cordes ne se mêlent à la paille.

Même si l'on est trois ou quatre autour de la batteuse, il faut se parler par signes tellement le vacarme domine et se répercute dans toute la grange. Le cheval marche à toutes jambes sur sa trépigneuse dont des dizaines de réas roulent à toute vitesse, fer sur fer; la piste roulante dont chaque partie claque en haut et en bas du plan incliné; le tambour qui vibre et gronde à chaque fois qu'une gerbe glisse dans sa large gueule; la courroie centrale allant de la roue de la trépigneuse à la poulie de la batteuse et les multiples courroies qui se promènent d'une poulie à l'autre dans le ventre de la batteuse. . . Le plancher de la batterie tremble, les murs vibrent et lancent au loin le vrombissement d'une boutique à bruits multiples.

Moteur de ferme
et banc de scie circulaire

Moteur à deux temps

Vers la fin de 1890, le paysan à l'aise pouvait se procurer un moteur à deux temps qui actionnait une batteuse-vanneuse, plus compliquée que la précédente, mais qui dispensait de nettoyer le grain dans le tarare. Mais encore là, pour fournir cette machine et en tirer le meilleur parti possible, il fallait une nombreuse main-d'oeuvre. On devait mobiliser tous les bras de la maisonnée, petits et grands, ou louer les services d'ouvriers d'autres fermes. Il restait toujours la possibilité de la corvée.

Au chapitre du battage comme à celui de la récolte du grain, il se trouvait assez souvent des fermiers plus fortunés qui acquéraient une batteuse et travaillaient chez les voisins, moyennant rétribution.

La récolte du grain et le battage nous ont éloignés de la récolte des pommes de terre et des légumes. Nous y revenons.

Broc ou fourche à six fourchons

Les patates

Comme nous l'avons signalé plus haut (chapitre 7),dans le courant de l'été, le paysan sarclait son champ de pommes de terre et en renchaussait les tiges au moyen d'une charrue spéciale. Après cette opération, les feuilles grandissaient, les tubercules se développaient au sein de ces minimes monticules disposés en rangs réguliers. Dans le courant de l'été, les tiges ont fleuri; les fleurs sont tombées et les pommes de terre ont grossi dans la terre. À la fin d'octobre ou au début de novembre, il faut arracher les patates et les transporter dans un endroit propre à les conserver pendant l'hiver.

L'outil le plus simple, le plus efficace et le plus ancien que l'on connaisse est le "broc" ou sorte de fourche à quatre fourchons d'acier. Cette large fourche, très utile à manoeuvrer le fumier ou les bandes de gazon (friche), était l'instrument le plus pratique, au début de la colonisation, pour arracher les patates. Il s'agissait de planter la fourche dans le sol à 13 ou 15 centimètres de la tige de pommes de terre et de tirer le manche de l'instrument vers soi; le paysan secouait le contenu de sa "fourchetée" de terre et les patates tombaient à la surface du sol. En général, un seul coup de "broc" suffisait pour extraire les patates attachées aux racines. S'il est seul, le paysan doit se courber, ramasser les patates et les mettre dans un seau, fouiller le sol pour s'assurer que tous les tubercules ont été recueillis.

Si la femme ou les enfants peuvent collaborer à l'arrachage de patates, le paysan s'occupera seulement de sortir les patates de terre, ce qui sauve un temps considérable. Une fois le seau rempli, on peut en vider le contenu immédiatement dans un sac de jute. Si les sacs manquent, il faut aller les vider dans la cave, après une heure ou deux, et recommencer à remplir les sacs libérés.

Dans plusieurs régions et à une certaine époque, on préférait vider les patates dans un tas au milieu du champ. Cette technique permettait de reprendre les patates une par une, de les trier — enlever celles qui ne peuvent pas se conserver longtemps — et de les charroyer plus tard, dans des sacs ou à même le tombereau. Surtout si l'on place les pommes de terre dans un caveau séparé de la maison, il ne faut pas risquer de laisser dans le caveau une seule patate attaquée par la maladie ou menacée de pourriture. C'est pourquoi, surtout certaines années, on s'oblige à nettoyer toutes les patates, une par une, avant de les mettre en storage pour l'hiver.

Arrachage à la charrue

Certains fermiers qui disposaient d'une main-d'oeuvre relativement nombreuse (enfants ou employés) se servaient de la charrue à labour pour récolter leurs pommes de terre. Le versoir de la charrue bouleversait le sol et mettait à nu une certaine quantité de patates que le rang contenait. Armée d'une large gratte à fourchons ou au moyen des mains, une équipe d'employés (ou de membres de la famille) tentait de retrouver les tubercules encore accrochés à la tige. On déposait les pommes de terre dans des seaux, et ensuite, on les vidait en tas au milieu du champ ou on les ensachait (empochait).

Gratte à fourchons

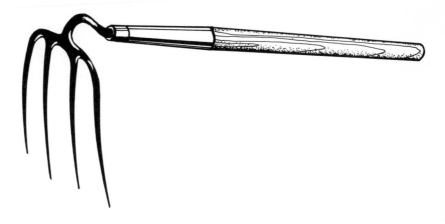

Arrache-patates (garrocheuse)

Au cours des générations, le domaine de la récolte des pommes de terre a été envahi lui aussi par la mécanisation. Les fabricants de machines aratoires mirent sur le marché un arracheur de pommes de terre (ou arrache-patates) qui permettait d'accélérer la récolte des patates. Un modèle était constitué de deux roues armées de crampons qui actionnait une "tournette" ou système de roue armée de bras à doubles doigts. Cette "tournette" a un axe horizontal. Elle a pour fonction de projeter les pommes de terre et les fanes hors de l'humus qu'une main métallique soulève en suivant le rang des tiges. On l'appelait couramment la "garrocheuse". Mais ce système était trop meurtrier pour les pommes de terre. Une grande quantité de patates étaient fendues et meurtries, donc une assez grande perte pour le fermier.

Arrache-patates à pont mobile
(sasseuse)

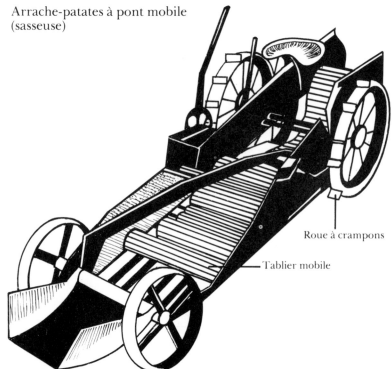

Roue à crampons

Tablier mobile

On améliora cependant cet instrument en allongeant la "pelle" qui fouille le rang où se trouvent les tiges. La terre remuée est entraînée vers le haut et se dépose sur une sorte de tamis mobile qui laisse tomber la terre et conserve les pommes de terre en plus de quelques cailloux. C'est la "sasseuse". Les patates tombent délicatement derrière l'arrachoir sur roues. Reste à les cueillir sur le sol.

Si l'on vidait les pommes de terre en un tas, sur le sol, on ne pouvait les laisser toute la nuit sans aucune protection contre la gelée. On abriait le tas de patates au moyen de toiles, de vieilles couvertures ou même en accumulant, sur le tas, les fanes de tubercules que l'on venait d'arracher.

Quel que soit le mode de transport — en sacs ou en vrac dans une voiture — il fallait aller déposer les patates dans la cave ou le caveau. Si la cave de la maison était assez grande, on pouvait l'utiliser. Si la quantité de pommes de terre était trop abondante — ou dépassait la quantité prévue pour la table pendant l'hiver, — on allait les déposer dans le caveau extérieur. On y avait aménagé de grands compartiments pour les patates et les légumes. On entrait dans le caveau avec cheval et voiture, on vidait les sacs ou la boîte de la voiture dans les sections réservées aux pommes de terre. Parfois même on jetait plusieurs pelletées de sable sur les patates pour qu'elles se conservent fraîches comme dans la terre. Vers le même temps, on coupait les derniers légumes dont le surplus était remisé dans le caveau.

Avant les gros froids de l'hiver, au début de décembre, on allait fermer le caveau après l'avoir longtemps ventilé. On avait soin d'entasser une bonne quantité de paille entre les deux portes donnant sur l'extérieur pour empêcher le froid d'entrer dans le caveau. On s'assurait que le ventilateur soit suffisamment ouvert, puis, on abandonnait les patates et les légumes à leur sort jusqu'au printemps suivant. Vers la fin de mars ou le début d'avril, quand la provision de la cave tirait à sa fin, ou si des clients voulaient se procurer des pommes de terre, on allait ouvrir le caveau. On y retrouvait ses produits aussi frais qu'au temps des récoltes. Même si les ventes étaient abondantes, on ne manquait pas de se garder une bonne quantité de patates pour le semence du printemps.

Chapitre 14

LE
BOUCHERIES

À la fin de novembre ou au début de décembre, les travaux de la ferme sont à peu près terminés. C'est l'époque des boucheries.* Après cinq ou six ans de travail, le paysan a acquis un petit troupeau de bêtes à cornes, quelques têtes de porcs, un poulailler, des canards et peut-être des oies. Dès qu'il fait assez froid pour que la viande se conserve, on se prépare à la boucherie. On se hâtera d'abattre les animaux dans une période assez brève, si le paysan doit quitter la ferme pour se rendre au chantier.

La femme n'aura pas besoin de l'aide du mari pour abattre les poules et les poulets. Elle leur tord le cou, ou d'un coup de hache, enlève la tête de la poulette, du petit coq ou du canard. Elle plonge la volatile dans de l'eau bouillante pour la laver, puis en arrache la plume qu'elle fait soi-

Écorchement d'une volaille

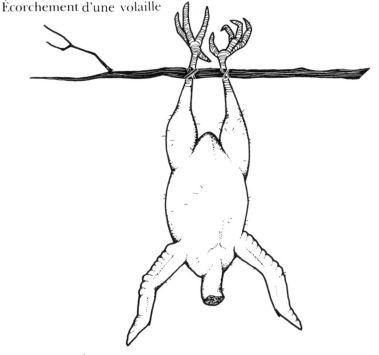

* À lire: Mailhot, Chs.-Éd. **Les bois francs,** p. 62.

gneusement sécher près du poêle. Ensuite, elle enlève, au moyen d'une ou deux baguettes enflammées, les poils fous qui ont échappé à ses doigts. En dernier lieu, elle attache l'oiseau par les pattes et le débarrasse de ses viscères en ayant soin de recueillir le gésier, le coeur et les filets de graisse qu'elle a aperçue dans les viscères. Cette graisse sera précieuse pour préparer certaines pâtisseries ou pour huiler certains rouages d'outils ménagers. Quand le poulet et l'oie sont prêts à être mis à la broche, la paysanne va les suspendre au froid dans une laiterie ou sorte de garde-manger où l'on conserve, l'hiver, toute nourriture périssable.

Suit la boucherie de porc*; on en abattra un ou deux, avant la saison de Noël. L'abattage d'un porc demande plus de préparation que celui d'un boeuf.

Avant la boucherie de porc, il faut décider si l'on ébouillante ou si l'on grille le porc après l'avoir abattu. Si on l'ébouillante, il faut préparer un grand chaudron et un bon feu, un peu avant de saigner l'animal. Si on le grille, il faut préparer un bon tas de paille sèche pour faire flamber les poils du porc abattu.

Quand tout est prêt pour la boucherie de porc, on va chercher l'animal au bout d'une corde et on l'amène près de la grange ou d'une autre bâtisse où l'on pourra le débiter. L'animal se débat et hurle de peur. Un homme seul, avec une certaine aide de sa femme, pouvait "faire boucherie de cochon". En général, il se fera aider par un voisin, de préférence un homme d'un certain âge qui peut saigner le porc. On a choisi l'époque de la boucherie, suivant la croyance ancestrale: la pleine lune, le croissant ou le décours ou la nouvelle lune. On croyait souvent que la lune jouait un certain rôle sur la qualité de la viande. De même, le long de la mer (fleuve), certains paysans attendaient la "mer montante" pour saigner l'animal.

On jette le porc sur le côté, on l'immobilise. Plusieurs lavent soigneusement la gorge de l'animal pour empêcher le sang de se souiller. On "ramasse le sang" pour en faire du boudin. Mais qui va "tenir la poêle"? Il semble, d'après cette expression que la poêle était l'ustensile préféré pour recueillir le plus de sang possible. En général, une paysanne qui n'a pas peur du sang s'approche du saigneur après avoir déposé une poignée de sel dans le réceptacle qui doit contenir le sang à boudin. Comme avant tout acte solennel, le saigneur fait son signe de croix, pousse vers l'arrière la patte antérieure de l'animal, et lui plante le couteau dans la gorge en direction du coeur. Dès que le couteau a fait une trouée, le sang gicle. La paysanne surveille, poêle en main, le jet de sang qu'elle attrape dans son large récipient. Le saigneur retire son couteau de temps en temps pour donner libre cours au jet de sang. La paysanne appuie alors sa poêle sur la gorge du porc près de la plaie et verse régulièrement le sang dans sa chaudière. Après une minute ou deux d'attention aux réactions du porc, le saigneur annonce qu'il va toucher le coeur. Un dernier coup de poignet enfonce le couteau plus profondément, et l'animal cesse peu à peu de hurler, blêmit et après deux ou trois mouvements saccadés, tombe sans vie.

On apporte aussitôt une échelle pour transporter le porc inanimé. À deux ou quatre personnes on porte l'échelle; c'est le temps de faire un pari sur le poids du porc. On dépose l'animal près de l'endroit où on va

* À lire: Appendice, section J.

le débarrasser de ses poils. Quelques-uns se contentent de jeter le porc par terre, d'accumuler sur son corps un tas de paille et d'y mettre le feu. La partie du poil exposée à la flamme disparaît rapidement; on retourne l'animal, on promène sur son poil des coites de paille enflammée pour faire disparaître les derniers poils, et, après avoir promené un long couteau — ou une sorte de disque à poignée — sur les différentes parties du corps pour en enlever les poils calcinés, on considère que l'on peut procéder à l'étripage du porc.

Dispositif pour ébouillanter un porc

En d'autres endroits, on ébouillante la peau du cochon et ensuite on la gratte de façon à faire disparaître toutes traces de poils. On peut ébouillanter de deux façons: saucer, au moyen d'un palan, le cochon entier dans un grand baquet (bac) rempli d'eau bouillante, ou bien arroser d'eau bouillante, partie par partie, le corps de l'animal. Dans les deux cas, il faut gratter, à l'aide de couteaux — ou d'un autre instrument de forme ronde — tout le corps du cochon.

Pour "gratter le cochon" on couche l'animal sur une échelle disposée sur un bac ou des tréteaux; deux ou trois hommes s'affairent à préparer l'étripage. Si l'on procède à l'ébouillantage en arrosant différentes parties les unes après les autres, il faut disposer l'échelle et le porc sur un grand auge de bois ou bac destiné à recevoir l'eau dont on arrose l'animal.

S'il fait froid, le jour de la boucherie, il faut que le travail ait lieu à l'intérieur d'une bâtisse ou parfois dans une pièce de la maison. Même si l'on travaille près de l'eau bouillante, il faut se protéger contre les refroidissements. Selon la tradition, au cours d'une boucherie, les aides — les hommes — s'arrêtent une fois ou deux, à la demande du maître de céans, pour absorber une gorgée d'alcool, de vin, ou de "painkiller" chaud. Cette "ponce" redonne du courage aux ouvriers et les immunise contre le rhume ou la grippe.

Quand l'animal est débarrassé de ses poils, on songe à l'étriper. On lave soigneusement l'animal avec un linge et de l'eau chaude. On installe le porc sur le dos; le plus expérimenté de l'équipe aiguise un long couteau et fend le ventre de l'animal depuis la gorge jusqu'à l'extrémité du système digestif. Il prend grand soin de ne pas perforer l'estomac ou les intestins, de bien ligoter l'œsophage (herbière), le col de la vessie et la sortie de l'intestin, pour ne pas souiller la chair. Le couteau coupe toute membrane qui retient les viscères dans l'animal, et bientôt on vient ramasser, sur un panneau recouvert d'une nappe ou d'un tapis blanc, l'estomac (la panse) et les intestins.

Pendant que la paysanne se retire dans une autre pièce pour enlever la graisse qui entoure les viscères (dérail), le maître de la boucherie enlève les poumons, le foie et le coeur que l'on dépose sur une table tout à fait propre (ou que l'on pend à des crochets). Avant de fendre l'animal en deux (à la hache ou à la scie), on coupe la tête et on la recueille précieusement; la paysanne en tirera des mets rarement égalés. Finalement, on fend la carcasse de l'animal au centre de la colonne vertébrale après avoir enlevé avec grande précaution les reins (rognons) et la masse de graisse qui les entoure (panne). Puis, on va suspendre les quartiers dans un endroit propre et frais.

On négligeait rarement de mettre de côté la vessie du porc. On la vidait, on lui insufflait de l'air pour la dilater et l'on en faisait un sac à tabac de grande qualité.

Il fallait ne pas perdre trop de temps pour abattre deux gros porcs dans une journée. Ce n'était pas seulement le fait d'abattre le porc et de le débiter qui prenait du temps. La paysanne devait à son tour s'acquitter d'une foule de travaux relatifs à la boucherie: le dérail, la préparation du sang et des intestins du porc en vue du boudin, la préparation de la graisse et des cretons, le foie à trancher, les pattes du porc à couper et à peler . . . autant de travaux qui devaient être amorcés avant que la chair de l'animal ne refroidisse trop. En plus de s'occuper de la boucherie, la cuisinière devait préparer le dîner de la famille et des collaborateurs du fermier. Souvent elle demandait l'aide d'une voisine.

Si la boucherie se faisait au cours de l'été, il fallait préparer le "morceau du voisin"; et souvent on avait plusieurs voisins. De plus, si la boucherie n'avait pas lieu dans la période froide, il fallait préparer la viande pour la salaison ou la "boucanerie".

À l'époque de la saison froide, il est rare que le fermier n'abatte pas une bête à cornes ou deux, un petit boeuf, un veau ou une vache. Avec les années le troupeau augmentait; la famille comptait de plus nombreuses bouches à nourrir. D'ailleurs, il fallait varier le menu de cuisine. Lors de la "boucherie" de boeuf, la paysanne était moins surchargée par les travaux relatifs à la boucherie. C'est le fermier qui faisait les plus gros frais de la boucherie.

La technique de cette dernière tâche est un peu différente de celle de l'abattage d'un porc. Le plus souvent, on abattait la bête à cornes dans la "batterie". Il va falloir suspendre l'animal, après l'avoir abattu, à une poulie qui doit être attachée à cinq ou six mètres de hauteur. De plus, l'endroit doit être bien aéré et vaste.

Dans les temps anciens, il était rarement question de tuer une bête à cornes d'un coup de carabine. On l'assommait au moyen d'une hache ou

Vessie de porc
transformée en sac à tabac

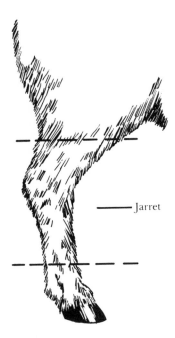

Jarret

Peau de jarret de boeuf

d'une lourde masse. Parfois un homme tenait l'animal par les cornes, et un autre l'assommait. Dans certains cas, l'animal était attaché par le cou à un anneau de la batterie; dès que l'animal tombait sous le coup de la masse, le boucher improvisé tranchait la gorge de la bête. Parfois, on ne sectionnait que les deux artères de la gorge. L'animal perdait rapidement son sang et mourait en une minute ou deux.

La mort constatée, le boucher tournait l'animal sur le dos, coupait la peau au bas de chaque patte, un peu au-dessus de la corne, et, d'un coup de couteau, fendait la peau des pattes en passant par le poitrail et le ventre, puis un autre coup de couteau ouvrait la peau du bout de la queue jusqu'à la gorge. On a observé que, en certaines régions, le paysan utilisait la peau du jarret de boeuf sans la fendre. Il pouvait s'en fabriquer une chaussure avec un minimum de couture.

Tout de suite, on commençait à séparer la peau de la chair à partir des quatre pattes; puis deux crochets de fer s'enfonçaient dans les jarrets de l'animal, et on commençait à élever le train arrière de l'animal au moyen du palan. Dès que la peau des jambes et des cuisses est séparée de la chair au moyen d'un couteau, on hisse l'animal plus haut vers le faîte de la batterie. Cette opération permet au boucher de travailler sans trop se pencher. D'une main, il tire la peau, et de l'autre, il coupe avec le couteau les ligaments disposés entre la peau et les muscles de l'animal. Il travaille pendant plus d'une demi-heure avant que toute la peau ne soit retirée de la bête. Il étend la peau, le poil vers le pavé, sous l'animal. Il en aura bientôt besoin pour y déposer les viscères.

Comme dans le cas de l'abattage du porc, le boucher fend le ventre de l'animal, en extrait l'estomac (la panse) et les autres viscères, enlève soigneusement le foie, et sépare la tête du tronc. Il redescend la carcasse de l'animal d'environ un mètre et procède, au moyen de la hache ou de la scie, à la division longitudinale de la colonne vertébrale. Il remonte les deux sections de l'animal au-dessus de la "batterie" et se prépare à mettre de l'ordre dans la place.

La tête n'est précieuse que pour la langue qui constituera un mets délicat. Une fois la langue retirée, la tête sera abandonnée au chien ou servira d'appat aux renards. Dès que la panse a été extraite du ventre de l'animal, la paysanne est accourue pour en recueillir la graisse dont elle fera le suif de chandelle et aussi la base de certains mets.

On traîne les entrailles de l'animal vers la forêt ou dans l'abri à fumier. Le paysan plie maintenant la peau de la bête en y saupoudrant quelques poignées de sel, à moins qu'il ne la laisse sécher sur le parapet de la "batterie". Le printemps prochain, il en retirera de belles pièces de cuir pour les chaussures ou les harnais. Il tannera son cuir lui-même ou il portera ses peaux chez le tanneur du village. Parfois le fermier-boucher conservera précieusement les pieds de boeuf, soit pour les vendre ou pour en extraire lui-même la colle. Il pourra également utiliser les cornes de boeuf pour conserver sa poudre à fusil.

Et la vie paysanne continue, même si l'hiver est arrivé. Une autre tâche est apparue à la fin de la belle saison: le soin des animaux dans l'étable. Seuls les moutons vont encore gagner leur vie dans les champs. Ils trouvent leur maigre nourriture même en grattant dans la neige. À cette époque de l'année, les moutons respectent assez peu les clôtures et les propriétés privées. Ils se rassemblent et vivent en gros troupeaux pas-

Animal dépecé
suspendu à un palan

Palan ————————————

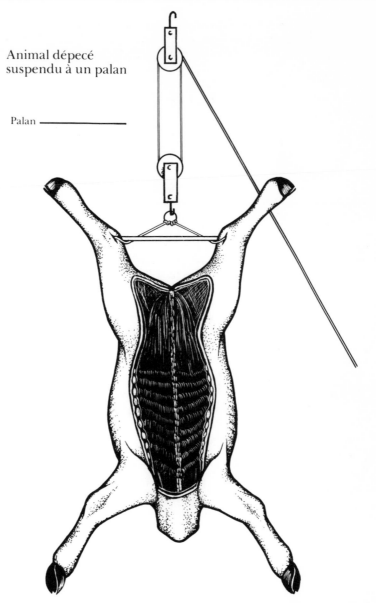

sant d'une ferme à l'autre. Si le paysan n'a pas pris soin de marquer ses moutons par une coche ou un trou dans l'oreille, il pourra difficilement reconnaître ses moutons au début de l'hiver.

Chapitre 15

LE
LAIT

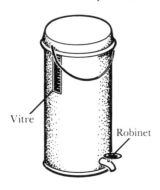

Écrémeuse portative

Vitre

Robinet

Chez les pionniers, on consommait une partie du lait en nourriture (enfants). Une autre partie était réservée pour en extraire la crème et faire le beurre.* Avant de posséder un "séparateur" (centrifuge) pour retirer la crème du lait aussitôt après la traite, la fermière utilisait un grand plat dans lequel elle déposait le lait qu'elle plaçait dans un lieu frais. Après quelques heures, la crème montait sur le lait. Il fallait la recueillir au moyen d'une cuiller. Ce procédé était assez peu pratique et ne permettait pas d'accumuler assez de crème pour faire le beurre. Un peu plus tard, elle disposera d'une "crémeuse" ou bidon métallique pourvu d'une longue bande de verre transparent. On vidait le lait dans ce bidon et on allait le placer au frais, dans l'eau froide d'un puits, de préférence. Après une demi-journée, on constatait à travers le verre que la crème était montée à la surface du lait. On faisait couler, au moyen d'un robinet, le lait écrémé; la crème s'écoulait à son tour à la suite du lait. Il fallait alors faire couler la crème dans le seau ou la tinette réservée à la crème en vue de la fabrication du beurre. Il fallait la conserver au frais et l'empêcher de surir.

Quand la paysanne a amassé assez de crème pour faire du beurre, elle la place dans un réceptacle qui lui permettra de remuer la crème d'une façon régulière. On possède encore de ces pots de verre de quatre ou cinq litres (ou moins) munis d'un couvercle supportant un engrenage et une manivelle. Cette dernière, actionnée à la main, fait mouvoir de petites pales de bois à l'intérieur du bocal. Ce mouvement régulier permet au gras de la crème de se ramasser en grumeaux et de préparer le beurre.

Une fois que le beurre était "fait", c'est-à-dire, quand les grumeaux de gras étaient séparés du petit lait (lait de beurre), la paysanne devait "battre le beurre". Cette opération visait à boulanger le beurre pour en faire sortir l'eau et le reste du lait. La technique la plus usuelle consistait à battre dans ses mains les molettes de beurre, de façon à les réduire dans une seule motte après en avoir chassé le lait.

Plus tard, on utilisera une table munie d'un rouleau dont un seul bout était mobile. En imprimant au rouleau un lent mouvement de droite à gauche, le lait sortait d'entre les grumeaux de matière grasse, et le beurre ne formait plus qu'une épaisse pâte que l'on modelait sous forme de boule sphérique ou de pain (moule à beurre). Auparavant, il fallait saler le beurre. Pour terminer le travail en beauté, la fermière ornait

* À lire: **Appendice,** section H.

Baratte à beurre mécanisée

souvent ces mottes ou ces pains de beurre de dessins qu'elle tirait d'un moule ou d'une pièce de bois pouvant donner un motif décoratif; souvent elle en fabriquait un (formes géométriques) dans un cube de pomme de terre.

Revenons à la baratte à beurre qui a évolué, avec le temps, comme beaucoup d'autres instruments.

On voit, chez les Acadiens, au 19e siècle, une baratte à beurre composée d'une sorte de haute tinette de bois dans laquelle on vidait la crème. Un bâton garni de dents de bois ou de cuivre passait à travers un couvercle rond qui fermait la baratte. On "faisait le beurre" en enfonçant et relevant, d'une façon rythmée, le bâton destiné à brasser la crème.

Autre système. On a utilisé une caisse de bois fixée sur des patins de berceau. On brassait la caisse comme on aurait balancé un berceau, et les particules de beurre apparaissaient. Toujours chez les Acadiens du 19e siècle, on a utilisé, pour brasser la crème, un baril horizontal suspendu à un cadre qui assurait un va-et-vient régulier à la façon d'une balançoire.

Dans la dernière partie du 19e siècle, apparaît sur le marché une écrémeuse mécanisée que les bonnes gens appellent un "centrifuge". Une bonne partie de nos paysans, un peu stimulés par l'organisation des beurreries ou des coopératives, achètent cette nouvelle machine destinée à séparer rapidement le lait de la crème. Le principe de cette machine est basé sur la différence de densité entre le lait et la crème. En projetant un peu de lait sur un disque (ou un cylindre) en mouvement, le lait (plus lourd) va quitter le disque plus rapidement que la crème sous la force centrifuge. D'où le nom de "centrifuge" donné couramment à cette machine.

Baratte à beurre manuelle

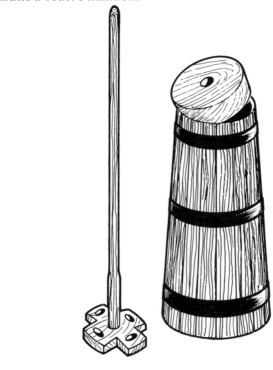

Baratte à beurre
(style berceau)

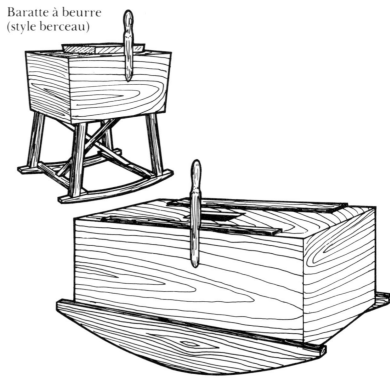

Baratte à beurre
(style balançoire)

Écrémeuse mécanisée (centrifuge)

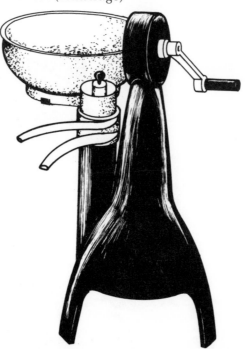

Le "centrifuge" se compose d'un bassin — placé en haut de la machine — qui emmagasine le lait. Une série de tuyaux orientent le lait vers un cylindre (ou disque) qui, sous l'effet d'un jeu d'engrenages, tourne à une grande vitesse. Le lait est projeté dans une direction, et la crème, dans l'autre. Deux réceptacles recueillent, l'un, la crème et l'autre, le lait. La crème est disposée dans un bidon en attendant de l'expédier à la beurrerie, ou de faire le beurre à la maison, au cours de la semaine.

Vers 1880, on possède des barattes à beurre passablement mécanisées. La baratte consiste en un baril de solide chêne pivotant au niveau du centre, sur deux supports fixés au sommet de deux triangles d'acier. La manivelle fait tourner le baril sur son axe horizontal. Un autre système permet un mouvement plus régulier et moins épuisant. Un long levier solidaire de la base métallique transmet le mouvement rotatif décrit plus haut. Certains modèles ajoutent à ce levier une pédale (B) qui permet de diminuer l'effort du levier tout en fournissant la même énergie.

Baratte à beurre pivotante

On vidait la crème dans ce baril, puis on fermait l'ouverture au moyen d'un lourd couvercle muni de coussinets hermétiques qui empêchaient toute fuite de liquide. Le couvercle était solidement fixé au baril par deux crampes d'acier et une roue qui se serrait au moyen d'une tige visée. Dans ce même couvercle, était disposée un disque de verre (A) qui indiquait — s'il devenait noir — que le crème était passée à l'état de beurre.

Avant de "battre le beurre", la paysanne extrayait du baril (moulin à beurre) le petit lait ou lait de beurre. Ce lait, libéré de la crème, a un goût légèrement sur et appétissant. La paysanne avait soin de récompenser le jeune qui avait actionné le moulin, en lui donnant une tasse de ce lait suret. Elle gardait le reste pour préparer certaines pâtes ou certains desserts.

À l'automne, la paysanne conservait le surplus de beurre dans une tinette remplie de saumure. C'était la réserve de beurre pour l'hiver, époque où la production de lait était nulle. Pendant l'hiver, la paysanne allait tailler une tranche de beurre dans la tinette sans le décorer du motif de son étampe.

Chapitre 16

LES MOULINS

Au début de l'hiver ou pendant la saison froide, beaucoup de paysans allaient faire moudre leur grain chez le meunier. Ce dernier, en général, était propriétaire d'un moulin qui actionnait une moulange. Ce moulin était mû par le vent ou par l'eau.

D'où l'obligation de jeter un coup d'oeil sur la force motrice qui actionne la "moulange" et sur la "moulange" elle-même.

MOULIN À VENT

Construction solide, la plupart du temps en pierre, dont le toit conique est traversé par un axe (arbre) de bois pourvu d'ailes déviées par le vent. Ces ailes, sortes de cadres solides mais légers, sont munies de toiles destinées à capter le vent et à rendre les ailes du moulin plus efficaces. En général, le moulin possède quatre ailes sur deux plans différents. Chaque aile offre un certain angle à la direction du vent, ce qui imprime un mouvement rotatoire à l'axe autour duquel sont fixées les ailes.

Moulin à vent seigneurial

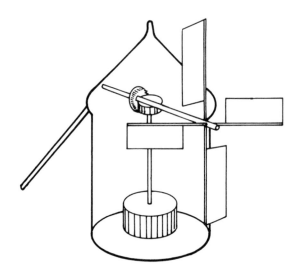

Rouet de moulin à vent

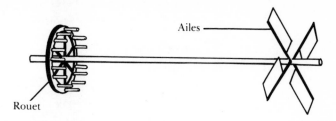

À l'intérieur du toit conique du moulin, un "rouet", ou roue d'engrenage à alluchons, est fixé à l'axe mû par les ailes. Les alluchons de ce rouet mettent en branle une tige verticale pourvue d'un pignon ou "lanterne". Cette tige verticale (le fer) fait tourner une meule horizontale. Grâce à différents engrenages, cette tige pouvait aussi actionner un treuil. On utilisait souvent ce treuil mécanique pour hisser le grain au deuxième étage du moulin. De là, le grain tombe, par la trémie, au centre de la meule, et est dirigé vers l'endroit où les deux meules (la meule supérieure: mouvante, tournante ou courante; et la meule inférieure: gisante ou dormante) frottent l'une sur l'autre et broient les grains de blé ou d'autre céréale. Ces meules, de silex et de calcaire, pesaient entre 450 et 1 350 kilogrammes.

Rouet et lanterne
d'un moulin à vent

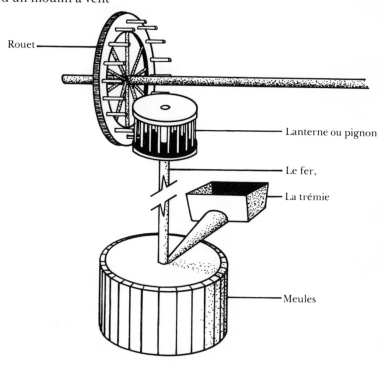

À sa sortie des meules, le grain moulu contient à la fois le son et la farine. Le produit qui sort des meules est dirigé (chaîne à godets) vers le bluteau qui sépare les différentes catégories de farine (son-gru-farine . . .) d'après la grosseur des grains réduits en poudre.

Le bluteau d'un moulin à farine

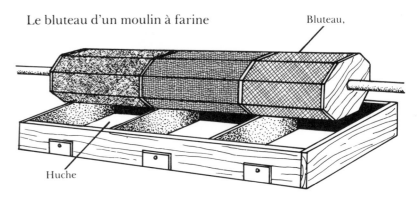

Le bluteau est une sorte de cylindre hexagonal, disposé sur un plan horizontal, mais légèrement incliné vers la partie la plus restreinte du cylindre, qui contient plusieurs sections. Chaque section est entourée d'une étoffe (coton-soie . . .) destinée à sélectionner telle sorte de farine (son-gru . . .). Chaque catégorie tombe dans une huche divisée en plusieurs compartiments.

Au-dessus (ou à proximité) des meules, se trouve la potence servant à soulever la meule quand elle a besoin d'être "piquée".

Autrefois le moulin à farine mû par le vent était fixe, mais toute la bâtisse reposait sur une base tournante. Il fallait orienter les ailes vers le vent en tournant la bâtisse au moyen de bêtes de somme. On en vint à

Perche qui fait pivoter le toit
du moulin à vent

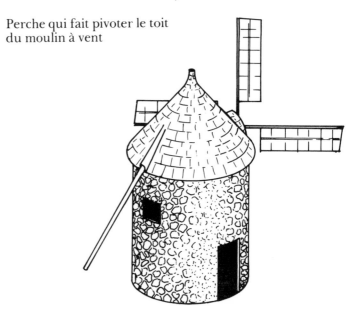

faire un toit mobile tournant sur une bande fixée au sommet des murs du moulin et supportant le toit par l'entremise d'une rainure munie de quelques rouleaux. Depuis la découverte de ce principe, l'arbre principal des ailes du moulin est fixé au toit. Il suffit de pousser sur une longue perche insérée dans la charpente du toit pour orienter les ailes du moulin (v.g. le moulin à vent de l'île-aux-Coudres).

Le rouet était disposé de façon que ses alluchons puissent actionner la "lanterne" ou le pignon quel que fût le sens du vent. À son tour, le "fer" descendait au premier étage pour y actionner la meule.

MOULIN À EAU (1)

Comme le moulin à vent est actionné par le vent, ainsi le moulin à eau est actionné par la force de l'eau. Celle-ci pouvait agir de deux façons: par sa pression (quand elle venait de haut) ou par sa pesanteur. Ce moulin pouvait servir à moudre le grain, à scier la planche, à carder la laine ou à fouler l'étoffe.

Nous connaissons déjà la fonctionnement du moulin à farine mû par le vent. Il nous restera à retrouver le même procédé dans le moulin à eau, SAUF que dans ce dernier, la force motrice vient d'une roue actionnée par l'eau. En général, cette source motrice vient d'un niveau inférieur à celui des meules.

Trois composantes principales dans le moulin à eau:
— la force motrice: la roue à aubes, à godets

— organisme de transmission: arbre de couche et engrenages

— les machines: scie, moulange, cardeuse, fouleuse . . .

LA ROUE

C'est une construction circulaire de 3,5 à 8 mètres de diamètre et de 1 à 1,25 mètre d'épaisseur, entraînant un arbre de couche très solide qui roule sur des tourillons de bois huilé reposant sur des coussinets de bois ou de pierre. La roue à aubes est une simple roue (pesant 9 000 à 10 000 kilogrammes) et divisée en plusieurs compartiments allant de la périphérie au centre de la roue. Cette roue fonctionnait surtout aux dépens de la pression de l'eau. L'autre roue, dite à godets (auges), fonctionne plutôt d'après le poids de l'eau. En effet, l'eau remplit les godets disposés sur le pourtour de la roue. Dès que quelques godets sont remplis d'eau, ce poids placé au bout du levier (demi-diamètre de la roue) donne le mouvement de rotation à la roue. Dans le cas de la roue à aubes, l'eau qui descend près du centre de la roue n'exerce qu'un minimum de force sur le levier. Quand le moulin utilise l'eau d'un réservoir situé à un niveau supérieur au sien, l'eau se précipite dans la roue avec une certaine vitesse. Dans ces circonstances, la roue à aubes tournera facilement. Mais si le niveau du réservoir n'est pas très élevé, la roue à godets, en utilisant le seul poids de l'eau, développera plus de force motrice.

La roue motrice (à aubes ou à godets) est placée à l'extérieur de la bâtisse, ou elle occupe une place spéciale à l'intérieur, d'ordinaire entre deux murs de pierre capables de supporter la roue et l'arbre de couche. Nous avons visité, à l'île-Verte (Québec), le moulin Saint-Laurent, un ancien moulin à eau situé au pied d'une haute falaise. Le lac ou réservoir qui alimente la roue motrice est situé au sommet de la falaise. L'eau

1. À lire: Adam-Villeneuve, Francine et Felteau, Cyrille. **Les moulins à eau de la vallée du Saint-Laurent**. Montréal, 1978, p. 467.

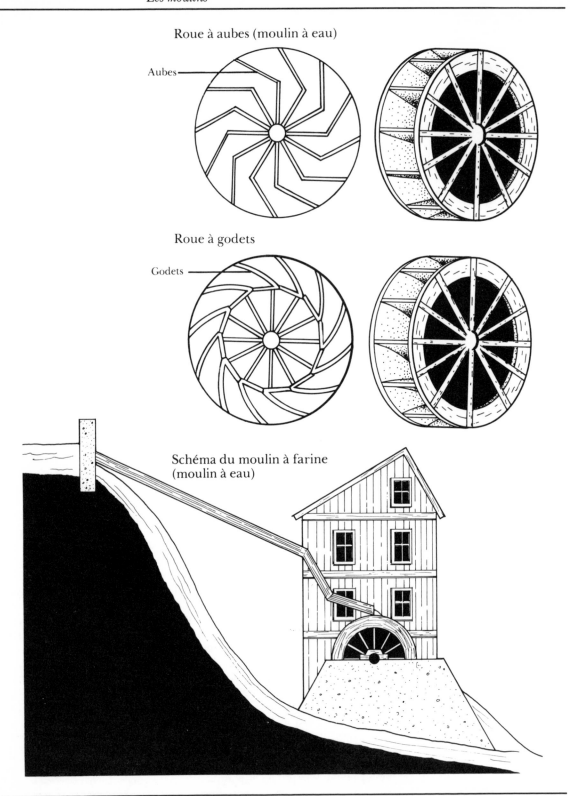

Roue à aubes (moulin à eau)

Aubes

Roue à godets

Godets

Schéma du moulin à farine
(moulin à eau)

Schéma du moulin à farine
(moulin à eau)

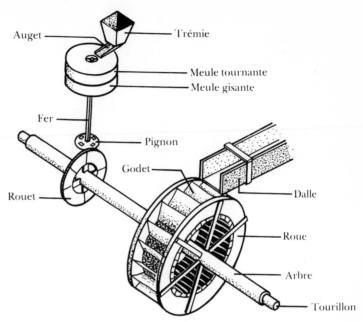

Auget — Trémie

Meule tournante
Meule gisante

Fer

Pignon

Godet

Rouet

Dalle

Roue

Arbre

Tourillon

descend dans la dalle et pénètre à la hauteur du toit du moulin. De là, elle tombe dans une roue à aubes à l'intérieur de la bâtisse.

L'arbre de couche peut traverser la cave du moulin et actionner plusieurs types de machines: scie, moulange, cardeuse, foulon . . . Parfois la transmission du mouvement se fait par engrenages, parfois par courroies. Si la roue développe beaucoup de force, on pourra faire tourner jusqu'à trois moulanges à la fois, ou une scie en même temps que la cardeuse ou le foulon.

La roue tourne à une vitesse régulière. Certaines machines doivent fonctionner à un rythme plus lent ou plus rapide. Il sera donc nécessaire, le long de l'arbre de couche, d'utiliser un multiplicateur ou un réducteur de vitesse, pour adapter la roue motrice à telle machine. Nous signalerons ici comment la scie à châsse s'adaptait à un arbre de couche.

SCIE À CHÂSSE

C'est une scie assez semblable à une "scie de long" que deux hommes pouvaient manoeuvrer de bas en haut. Disposée dans un cadre mobile, cette scie pouvait débiter un billot plus rapidement que manipulée par deux hommes.

La scie à châsse se compose d'un grand cadre fixe dans lequel peut glisser de haut en bas et de bas en haut un autre cadre au moyen de coulisses. Ce second cadre (mobile) retient, à son centre, une scie verticale qui devra osciller de haut en bas sur une distance de 45 à 50 centimètres, un peu à la façon d'une "jig saw" (scie à chantourner) moderne. Il faut donc qu'un bras mécanique quelconque tire de bas en haut et peu après de haut en bas. La force motrice doit venir de l'arbre de couche.

Scie à châsse

Supposons un arbre de couche qui fait 200 tours à la minute, et supposons que l'on doive faire osciller une scie cinquante fois à la minute. Au moyen d'un engrenage solidaire de l'arbre de couche — engrenage quatre fois plus petit que l'engrenage transmettant le mouvement à la scie — on fait passer le mouvement rotatif dans un autre axe parallèle.

Engrenage multiplicateur

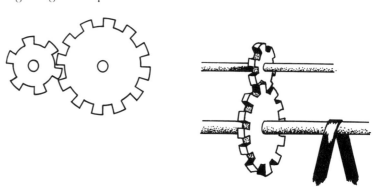

Cet axe parallèle actionne un volant (roue) muni d'un excentrique qui permet à une bielle de se mouvoir de bas en haut. Cette bielle sera reliée au cadre mobile qui dirige la scie de bas en haut et de haut en bas. Au lieu d'un volant qui commande la bielle, on peut réduire ce volant à une simple manivelle soudée à angle droit au bout de l'axe parallèle.

Levier de scie à châsse
(mouvement transmis par le haut)

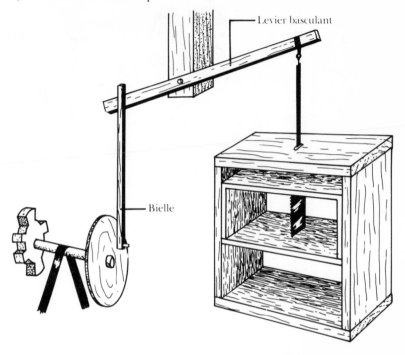

Au lieu de venir du bas, le mouvement de la bielle peut être transmis par le haut du cadre. Il s'agit de relier la bielle à un levier basculant au-dessus de la châsse.

Une fois le mouvement du cadre mobile assuré, il s'agit de disposer ce cadre de façon que la scie entre en contact avec le billot dans le sens de la longueur. Le billot repose sur un banc mobile, mais il excède de 2,5 à 5 centimètres la limite du banc. Ce dernier tient le billot solidement tout en avançant lentement mais régulièrement vers la scie. Ce banc (chariot) se meut sur des roues ou glisse sur des supports enduits de graisse. On pouvait pousser le chariot à bras, mais assez tôt, on adapta à ce banc mobile une chaîne reliée à une roue synchronisée avec le mouvement de la scie (roue d'encliquetage) le banc ainsi amélioré avançait d'un cran à chaque montée ou descente de la scie. Il va sans dire que le billot était solidement fixé au banc par des crampons mobiles que le scieur réglait avant de diriger le billot vers la scie. Remarquons que pour ne pas bloquer la marche du chariot, il faut que la base du cadre mobile évolue sous le plancher de la bâtisse.

Dans certains moulins, plusieurs scies, fixées sur un même cadre mobile, pouvaient fonctionner parallèlement. La source d'énergie devait fournir assez de force pour faire avancer dans un billot trois ou quatre scies fonctionnant en même temps.

Quand la scie circulaire apparut sur le marché, on la relia à l'arbre de couche de la roue motrice au moyen d'une courroie. Si le scieur voulait que sa scie fasse, par exemple, 400 tours à la minute, il multipliait la vitesse en changeant la grandeur des poulies.

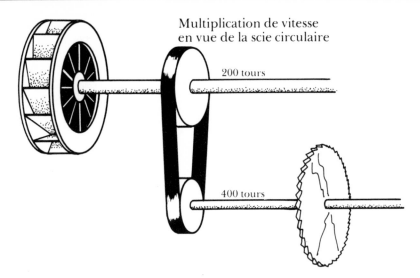

Multiplication de vitesse
en vue de la scie circulaire

200 tours

400 tours

La scie circulaire était plus efficace, débitait les billots plus rapidement que la scie à châsse. L'installation de la scie circulaire était assez simple: un banc (chariot) mobile amène le billot vers la scie. Celle-ci n'offre que sa moitié à la hauteur du billot. Des leviers perfectionnés permettaient au scieur de fixer rapidement le billot sur le chariot et de le lancer vers la scie dans l'intention d'obtenir une planche de 2,5 centimètres, de 5 centimètres ou de 7,5 centimètres d'épaisseur. La première opération consistait à obtenir une poutre équarrie; ensuite on débitait cette poutre en planches ou en "madriers" ou pièces de diverses dimensions.

Technique de sciage

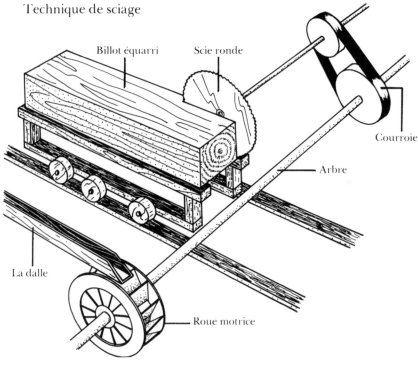

Billot équarri

Scie ronde

Courroie

Arbre

La dalle

Roue motrice

Les croûtes (dosses), le bran de scie, ou autres déchets tombent dans la cave où on les recueille pour brûler ou vendre aux gens qui veulent les utiliser. On a souvent employé des "croûtes" et du bran de scie pour combler certains marais, certains enfoncements de terrain.

Vers les 1885, apparaît l'usage de la turbine qui augmente la force d'un pouvoir hydraulique. La turbine fonctionne sur le principe de la pression de l'eau. La turbine est un ensemble de pales reliées à un axe vertical.

Principe de la turbine

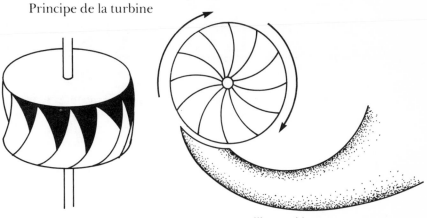

Tuyau adducteur

L'eau n'est plus conduite dans une dalle à l'extérieur, mais dans un tuyau fermé capable de conserver ou même augmenter la pression du courant d'eau. Au sortir de la turbine, l'eau est libérée et retombe dans le ruisseau en aval du moulin. La turbine, à cause de son mouvement rapide, donne le branle à un arbre de couche au moyen d'un réducteur. C'est surtout à l'époque de la turbine que l'on a pu actionner simultanément plusieurs machines: scie, moulange, pouvoir électrique, cardeuse...

Dans les centres un peu développés, la présence d'un moulin à scie et à farine était précieuse pour le paysan. Il pouvait y faire scier sa planche ou son bois de charpente, y faire moudre son blé et obtenir de la "moulée" pour ses animaux. Si sa production de laine était trop considérable pour la carder à la main, il pouvait aller au moulin pour y faire carder sa laine, même faire fouler son étoffe s'il n'était pas outillé pour s'en occuper lui-même.

Malheureusement, ces moulins étaient souvent éloignés des terres nouvellement ouvertes à la colonisation de 1860. La plupart de ces moulins avaient été bâtis par les anciens seigneurs qui devaient ces services à leurs censitaires. C'est ce qu'on appelait des "moulins banals".

Chapitre 17

L'ÉCLAIRAGE

De tout temps, l'homme se servait du feu pour s'éclairer.* Chez nous, on devait s'éclairer à l'extérieur (travail temporaire) et à l'intérieur (maison ou grange). Le feu était entretenu par le bois ou l'huile (graisse) que l'on retirait du poisson ou de l'animal (porc, boeuf, mouton...).

On pouvait s'éclairer, à l'intérieur, en utilisant le feu du poêle dont la porte pouvait rester entrouverte. C'est ce que les Acadiens appelaient: "S'éclairer à la craque". On s'éclairait aussi au moyen de "couennes" (lanières) de lard séchées préalablement et fixées à des baguettes. Parfois le lard était disposé dans un goulot de bouteille.

Lampe à l'huile suspendue au soliveau

Si l'on disposait d'huile (foie de morue, huile de baleine ou de béluga), il fallait tirer partie de cette huile par l'entremise d'une mèche reliée à un réservoir d'huile ou de graisse fondue. Ce réservoir pouvait n'être qu'une sorte d'assiette à bec. On suspendait cette lampe primitive au mur ou à un soliveau; la lumière que produisait la mèche enflammée répandait un peu de lumière dans l'appartement.

Ce système pouvait assez facilement communiquer le feu à la maison ou à l'étable. Il fallait être prudent!

À l'extérieur, au cours d'un travail temporaire, on utilisait un tas de bois enflammé. Pour n'avoir pas à apporter continuellement le bois au foyer, on s'ingéniait souvent à utiliser un brasier assez humble alimenté par quelques gouttes d'huile. On creusait un navet, on le suspendait en plein air, après avoir rempli d'huile ce petit réservoir (navet) légèrement percé à sa base. L'huile tombait goutte à goutte sur le bois du brasier et entretenait le feu. Parfois un sabot remplaçait le navet. On se servait de cet éclairage pour terminer, à l'extérieur, un travail pressant (boucherie, dépeçage de poisson).

Assez tôt, on a connu le pouvoir éclairant de la cire; on utilisa la cire très tôt dans la liturgie, à l'église. Mais ces bougies de cire étaient trop coûteuses pour des colons. Toutefois, on y trouvera une source d'inspiration pour fabriquer la chandelle.

Vers les 1860, on fabriquait de la chandelle de suif. On recueillait le suif de boeuf ou de mouton, lors des boucheries d'automne, et, pendant l'hiver, on fabriquait la chandelle. Cette dernière consistait en une mèche (coton, laine ou lin) tressée ou tordue fixée au centre d'un cylindre de suif. Mais, en fait, on fixait le suif autour de la mèche. Avant la dé-

* À lire: Jean-Claude Dupont. **Histoire populaire de l'Acadie**, Léméac, 1979, p. 124s.
Alice Lévesque-Dubé. **Il y a soixante ans.** Fides, 1943, p. 97s.
Adjutor Rivard. **Chez nos gens.** Action sociale catholique, 1913, p. 43.

Alimentation d'un feu à l'extérieur

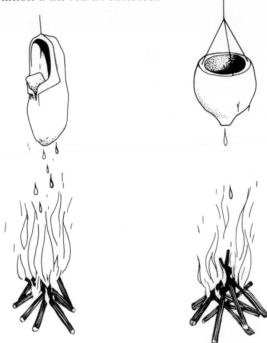

couverte du moule à chandelle, on fabriquait de la "chandelle à l'eau". Mais dans les deux procédés, il fallait liquéfier, à la chaleur, le suif dont on voulait fabriquer la chandelle.

CHANDELLE À L'EAU*

On disposait un chaudron de suif bouillant, et, tout près, un baquet d'eau froide. Au bout d'une baguette, on attachait une ficelle (mèche) destinée à être plongée dans le suif liquide. Pour maintenir la mèche droite et s'assurer qu'elle descende dans le suif, on nouait une petite pesée (plomb, boulon, clou) à l'extrémité de la mèche. On plongeait, au

Chandelle à l'eau

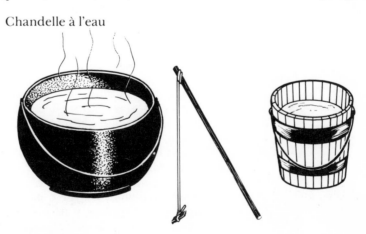

* À lire: **Appendice,** section L.

moyen de la baguette, la ficelle dans le suif fondu et on la retirait aussitôt du chaudron pour la plonger dans l'eau froide. La légère couche de suif qui avait adhéré à la mèche (ficelle) se solidifiait. On recommençait l'opération en trempant de nouveau cette fine chandelle dans le suif. Il s'y ajoutait une nouvelle couche de substance liquide aussitôt solidifiée par l'eau froide. C'est ainsi qu'on obtenait une chandelle à peu près cylindrique et assez régulière. Parfois, il fallait, au moyen d'un couteau, régulariser la forme ronde de la chandelle.

LE MOULE

Moule à chandelle

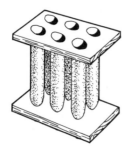

Bougeoir

Le moule à chandelle est formé de quatre ou six petits tuyaux de fer blanc fixés par leurs extrémités à deux bandes de tôle. Ces petits tuyaux ont la forme d'une chandelle (25 centimètres de longueur, 2 centimètres de diamètre); l'un des bouts se termine en forme pyramidale et est percé d'un petit trou destiné à y introduire la mèche; l'autre bout est ouvert et est destiné à recevoir le suif liquide. Quatre, six ou huit petits tuyaux, soudés parallèlement, peuvent recevoir le suif fondu. On passe d'abord les mèches (ficelles) dans le trou perforé à l'une des extrémités du moule, on l'empêche de sortir de cet orifice en faisant un noeud au bout de la mèche; ensuite, on tend la ficelle et on l'attache à une tige de bois disposée au-dessus de l'orifice du moule. La mèche est placée au centre du tuyau cylindrique. On vide le suif chaud dans ces moules parallèles, puis on le plonge dans l'eau froide (ou on l'expose au froid) quelques minutes; le suif se refroidit, la chandelle est prête à être retirée du moule. On plonge maintenant le moule dans de l'eau chaude; la couche de suif qui adhère au moule se liquéfie légèrement. On défait le noeud de la mèche à la partie pyramidale de la chandelle et on tire légèrement sur la tige de bois à laquelle est attachée la mèche. La chandelle sort du moule et est prête à servir à l'éclairage.

La "chandelle à l'eau" ou la chandelle moulée est disposée dans une boîte et conservée dans un endroit isolé de la chaleur.

Cette chandelle peut être placée sur un chandelier ou dans un "bougeoir" dit aussi "martinet", sorte d'écuelle munie d'un manche qui sert à changer la chandelle de local.

Quand on veut s'éclairer à l'extérieur ou à la grange, pour protéger la flamme de la chandelle et ne pas risquer d'allumer un incendie, on place la chandelle à l'intérieur d'une boîte de métal perforée de trous, ou entourée de vitre (mica). Ce fut la lanterne ou l'ancêtre du fanal de ferme qui apparaît vers les 1870. Mais ce dernier fanal était l'application du principe de la lampe à pétrole (kérosène). D'abord importée des États-Unis (1860), la lampe à pétrole (ou kérosène) sera fabriquée au Canada à partir de 1870. Cette lampe se compose d'un bol de verre supporté par un pied de verre ou de métal. Ce bol sert de réservoir pour l'huile de charbon (pétrole ou kérosène). Une mèche, composée de plusieurs brins tissés, trempe dans le liquide et va aboutir à un brûleur, sorte de boule métallique, fendue en deux, permettant à la mèche d'entretenir la flamme au contact de l'air. Une clef munie de disques dentés, permet de contrôler la position de la mèche pour lui faire produire plus ou moins de lumière. Un globe de verre pansu, ajouré à sa partie supérieure, se fixe sur une série de doigts mécaniques autour du brûleur.

Le fanal de ferme procède d'après le même principe, sauf que son globe, moins élancé que celui de la lampe, se ferme au sommet au

Fanal primitif avec chandelle

(cadre métallique et vitre de mica)

(boîte métallique à flancs perforés)

Lampe et fanal à pétrole

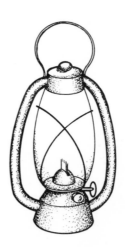

Lampe

Fanal de ferme

moyen d'un capuchon métallique pourvu de trous destinés à fournir de l'air au brûleur tout en protégeant la flamme contre les rafales de vent de l'extérieur. Le fanal se compose, lui aussi, d'un réservoir de métal relié à deux supports de tôle qui se rejoignent au-dessus du globe de verre; ce cadre fournit deux points d'appui à la poignée de broche destinée à transporter le fanal ou à le suspendre à un clou. La traverse qui permet aux deux supports de tôle de se rejoindre, au-dessus du globe de verre, sert de point d'attache à une rondelle à ressort qui recouvre le sommet du globe et l'empêche de se déplacer. Plus d'un modèle possède un petit trou dans le support latéral permettant d'éteindre ou "souffler" le fanal.

La lampe à kérosène revêtait différents styles: lampe à pied que l'on plaçait sur la table, lampe suspendue au plafond par des chaînes, lampe à réflecteur que l'on disposait dans un coin . . .

Au début de 1900, on connut la lampe à "naphta", la lampe à gaz et la lampe électrique . . .

Chapitre 18

LE
TISSAGE

Pendant les longs mois d'hiver, une fois la chandelle préparée, et tout en vaquant au reprisage et au tricotage, la paysanne entreprenait des travaux de tissage: tissage de la catalogne, tissage de couvertures de laine ou d'étoffe, tissage du lin.

LA CATALOGNE

La catalogne était une sorte de tissage dans lequel entrait du coton (chaîne) et des lanières de guenille (tissure).

Il fallait d'abord choisir la guenille: vieilles chemises de toile, vieux tabliers de coton, vieux bas de cachemire . . . Ensuite, il fallait déchirer (ou tailler) la guenille en minces lanières d'environ 2,5 centimètres de largeur, coudre bout à bout ces lanières et les pelotonner. En général, la paysanne ne teignait pas la guenille destinée à la catalogne, mais elle sélectionnait la guenille d'après ses teintes claires ou foncées. Souvent les laizes de catalogne ou les couvertures, étaient de teintes légères, ornées,

Bouclette de guenille

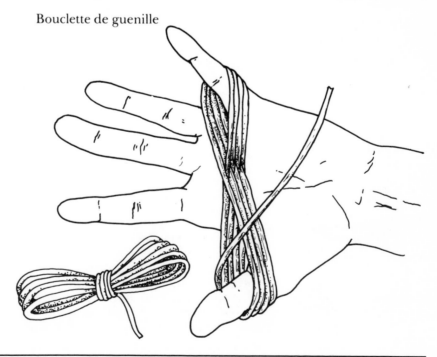

aux extrémités, de bandes plus sombres . . .

On enroulait la guenille en pelotons de 10 à 13 centimètres de diamètre. Ensuite, on en fabriquait de "petits cochons" ou bouclettes façonnées en forme de 8 entre le pouce et l'auriculaire d'une main. Cette bouclette, au moment du tissage, est tassée dans la navette qui distribuera les lanières de guenille entre deux séries de brins de coton; ces brins de coton (chaîne) assembleront les lanières de guenille et en constitueront un tapis, ou une couverture très épaisse et très solide. Le tapis (laize) servira à orner le plancher, la couverture servira à garantir du froid, dans le lit.

Le tissage de la catalogne demandera les mêmes préparatifs du "métier à tisser" que pour l'étoffe ou les couvertures de laine. Résumons les principales étapes de ces préparatifs.

LA LAINE

a) *La laine nouvelle:* C'est elle que l'on a enlevée directement du mouton. On la lave, on la carde, on la file et on l'utilise pour le tricotage ou le tissage.

b) *La laine déjà utilisée* (ou laine d'échiffes): Elle provient de lainages hors d'usage: couvertures, chemises ou jupes de laine, vieux bas ou vieux foulards. On coupait ces pièces en petits carreaux de 2,5 centimètres de côté que l'on "échiffait" ou écharpait. Cette laine, déjà filée et tissée, apparaissait sous la forme de menus fils qu'il fallait carder, filer de nouveau pour en faire des brins de "tissure" d'une couverture de laine d'apparence plus commune.

Une fois la laine "échiffée", on procédait à son barattage. On se servait d'une baratte cylindrique, semblable à une baratte à beurre, baratte dans laquelle pouvait s'agiter de haut en bas un baratton ou tige garnie de plusieurs dents. La laine "échiffée" était placée dans une baratte remplie d'eau bouillante à laquelle on a mêlé un peu de savon. On agitait le baratton de façon que la laine soit bien pénétrée par l'eau bouillante et qu'elle devienne comme les poils du mouton. Ces poils mélangés à l'eau de la baratte étaient malheureusement très courts. C'est ce qui enlevait de la qualité à cette laine.

Ces "échiffes" toutes trempées étaient répandues sur un treillis ou des draps pour les faire sécher. Ensuite, on les cardait comme une laine ordinaire et on la filait.

À partir de cette dernière opération, la paysanne utilisera cette laine d'échiffes comme de la laine ordinaire, sauf qu'elle ne songera pas à en faire de la "chaîne"; elle en fera de la "tissure".

Précisons immédiatement ces deux termes. La "chaîne" ce sont les brins de laine disposés sur le "métier" et qui s'entrecroisent pour retenir les brins de "tissure" distribués par la navette du tisserand. La "chaîne" passait à travers les "lames" et le ros ou long peigne (à lamelles d'acier ou de jonc) servant à tasser les brins de "tissure" qui sont insérés entre les rangs de "chaîne".

Énumérons les instruments dont se servira la paysanne pour passer de la laine lavée à l'étoffe tissée:

Cardes: planchettes garnies de fines pointes d'acier destinées à démêler la laine, à la mettre en boudins, en vue de la filer . . .

Rouet: instrument muni d'une roue qui multiplie la vitesse d'un fuseau et d'"ailettes" destinés à tordre la laine et à la filer, ou la réduire en un brin uniforme.

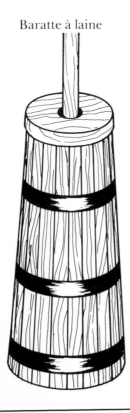

Baratte à laine

Cardes à laine

Rouet à filer la laine

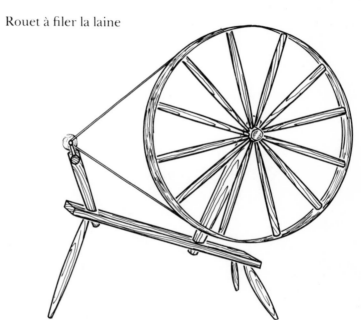

Dévidoir: instrument constitué d'un cadre mobile destiné à enrouler, sous forme d'écheveau, la laine nouvellement filée (fusée de laine).

Tournette: instrument utilisé pour transposer l'écheveau de laine (ou de coton) sur la "trème" ou la cannelle. Elle se composait d'un pied (bûche) portant, au centre, un poteau autour duquel tournait un cadre en croisée portant des bâtons mobiles à volonté.

Rouet à cannelles: Rouet destiné à enrouler la laine ou le lin (tissure) sur de petits cylindres (trèmes) que l'on disposera dans la "navette" à tisser. Ce même instrument peut aussi enrouler la laine (ou le coton) sur des cannelles que l'on disposera sur le cannellier dans le procédé de l'ourdissage.

Navette: Pièce de bois évidée pour laisser tourner une "trème" et glisser les brins de "tissure" entre les brins de la "chaîne". Cette petite nacelle est de bois dur très doux et se termine en pointe à chaque bout. Elle porte, à l'un de ses côtés, un trou par lequel la "tissure" peut sortir sans risquer d'entraîner la "trème" hors de la navette.

Dévidoir

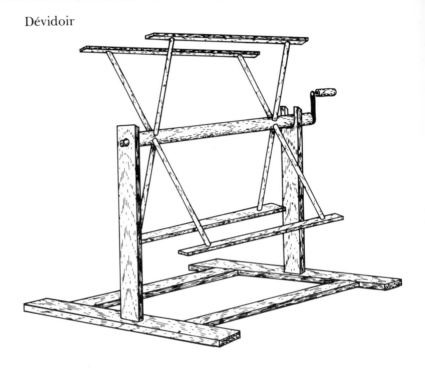

Tournette

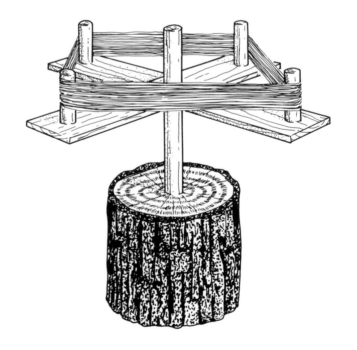

Rouet à cannelles

Navette à tissage

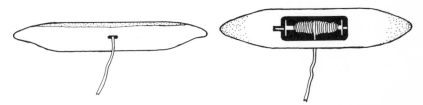

Ourdissoir: L'ourdissage consistait à préparer des brins de laine (ou de coton) de façon que, placés à quelques millimètres d'intervalle, on couvre une largeur d'un peu plus d'un mètre. Cette série de brins constituait la "chaîne", et elle était destinée à recevoir la "tissure".

Au cours de l'ourdissage, il fallait réunir en un seul faisceau vingt ou quarante fils différents enroulés, chacun sur une cannelle. Le fil de chaque cannelle était dirigé vers la main-percée ou porte-fils, mince planchette de bois percée de vingt (ou quarante) trous.

Ces vingt ou quarante brins formaient un faisceau que la paysanne enroulait sur une immense "tournette" verticale, mobile sur un pied solide. L'enroulement devait se disposer sur cette immense tournette en une direction pyramidale, de façon que les brins soient bien tendus et ne se mêlent pas avec ceux du faisceau supérieur. On se servait aussi de l'ourdissoir dit "herse" qui était formé d'un cadre dont deux pièces de bois étaient garnies de chevilles. Ce cadre était appuyé au mur, de façon que les deux poutres portant les chevilles soient appuyées à un mur et forment une sorte de plan incliné. L'artisane, le porte-fils en main, disposait le faisceau (provenant du canellier) de brins entre les dents de la "herse" passant à droite d'une cheville, à gauche de la cheville voisine, et

Ourdissoir et cannellier

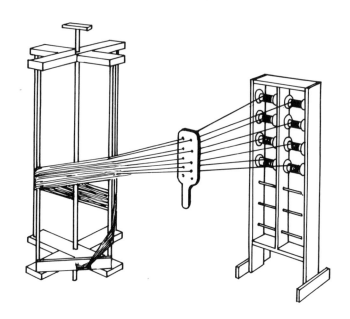

Ourdissoir de type "herse"

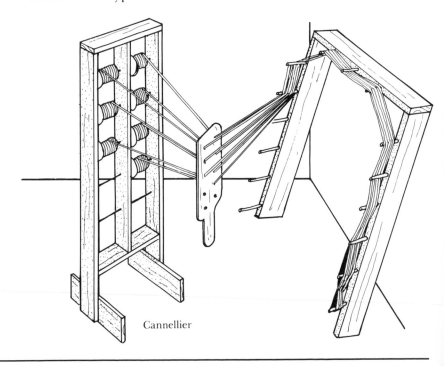

Cannellier

ainsi de suite. Le faisceau serpentait tout autour de l'ourdissoir en se divisant sur la barre supérieure transversale où étaient disposées deux chevilles de diamètre plus petit. Quand l'artisane avait fait le tour des trois poutres du cadre, elle conduisait son faisceau de brins vers le point de départ, n'oubliant pas de diviser son faisceau de brins en repassant aux deux chevilles de la barre transversale.

MÉTIER À TISSER

Le métier était composé d'une charpente assez lourde qui a varié d'une époque à l'autre. Essentiellement, le métier doit assurer le support d'un rouleau dit "rouleau de la chaîne" (destiné à recevoir la chaîne) et, à l'autre extrémité, le rouleau d'ensouple autour duquel s'enroulait l'étoffe tissée. Entre ces deux rouleaux, il fallait disposer les lames et leurs poulies, enfin le ros.

Les lames: cadre formé de deux tiges de bois parallèles reliées par des ficelles ordinairement de lin; ces ficelles doubles portent à leur centre (entre les deux tiges) une sorte d'anneau (en lin) dans lequel on passera un brin de chaîne se dirigeant vers le ros. Ces lames (cadres) sont au nombre de deux au moins. Un brin passe dans une série de lames, le brin voisin passe dans la série voisine. Ces lames oscillent autour de poulies suspendues en haut, et obéissent au pied du tisserand par l'entremise de marches ou pièces de bois de la forme d'une rame. Grâce à ces lames, les brins se divisent en deux plans et pourront laisser passer la navette.

Le ros: cadre d'un mètre et demi de longueur, rigide, formé de deux tiges solides reliant, à deux millimètres d'intervalle, des lamelles de métal ou de bambou. Chaque brin de chaîne occupe un espace entre deux lamelles. Le ros sert à tasser la tissure enserrée dans la chaîne. C'est la capacité du ros (largeur) qui détermine la largeur du tissu. En général,

Schéma du métier à tisser

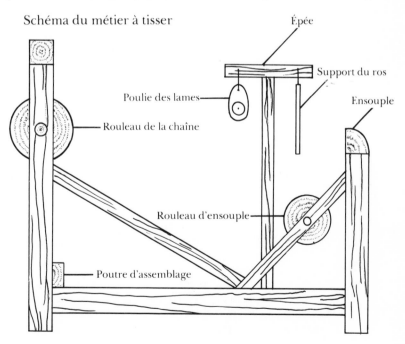

Épée

Support du ros

Poulie des lames

Ensouple

Rouleau de la chaîne

Rouleau d'ensouple

Poutre d'assemblage

le ros admettait huit brins au centimètre. La paysanne devait tenir compte de ces données au moment d'ourdir ses écheveaux de coton ou de laine.

Il faut remarquer que dans certains modèles de métier à tisser, le ros a son point d'appui à la base de la charpente.

Ce long faisceau de brins de chaîne était enlevé de l'ourdissoir de façon que les brins ne se mêlent pas. Ce faisceau contenait assez de fils pour couvrir, à rang simple, un rouleau de plus d'un mètre de largeur. Le bout de ce faisceau était noué, par petites coites, à une baguette que l'on fixait au rouleau de la chaîne. Un large peigne, tenu par deux personnes, distribuait les brins du faisceau à la largeur du rouleau.

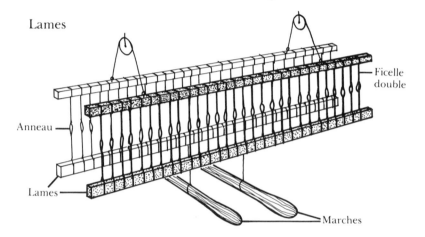

Une fois tout le faisceau enroulé, il fallait passer chaque brin dans deux séries de "lames" et dans le ros. Ce travail nécessitait deux personnes; une choisissait le brin et l'autre le tirait au moyen d'un mince crochet.

Restait à relier tous ces brins (par coites) à une autre baguette que l'on fixait sur un autre rouleau (d'ensouple) qui tenait les brins solidement tendus. On reliait deux ou quatre "marches" (longues tiges de bois semblables à des rames) aux cadres des "lames". En appuyant un pied sur une marche, les brins de "chaîne" s'ouvraient en deux séries; l'artisane passait le navette garnie d'une "trème" de "tissure" entre ces deux séries de fils, puis ramenait le ros vers elle pour tasser ce brin de tissure. Elle pesait sur une autre marche: la série de fils changeait de position (la série inférieure allait maintenant vers le haut) et laissait le passage libre pour la navette . . . et ainsi de suite. Quand l'étoffe avait acquis treize à quinze centimètres de longueur, on permettait au rouleau d'ensouple d'absorber treize à quinze centimètres de plus.

Mais, auparavant, il avait fallu donner un "quartier", c'est-à-dire, dérouler d'un quart de tour, le rouleau qui contenait la réserve de "chaîne".

Pour permettre à l'étoffe tissée de conserver toujours la même largeur, la tisserande plaçait, à la limite de l'étoffe, sur une bande parallèle à celle du ros, une tige, divisée en deux parties mobiles, appelée les "étampes". Ces baguettes rigides étaient garnies de dents de broches, à chaque bout, leur permettant de tirer constamment sur l'étoffe sans glisser.

Étampes

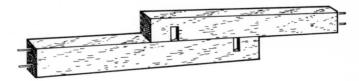

Couvertures destinées à
être cousues

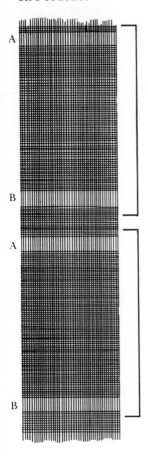

La pièce tissée qui s'entassait sur le rouleau d'ensouple était une catalogne (coton et guenille), une couverture de laine ou une pièce d'étoffe destinée au foulon et, plus tard, à la confection des pantalons ou des paletots. Laissons de côté, pour le moment, la flanelle à carreaux et les nappes ou draps de lin . . . Quand il s'agissait de couvertures, il fallait en coudre deux laizes parallèles. On avait dû mesurer d'avance la place des bandes décoratives pour que ces motifs apparaissent aux mêmes endroits sur les deux laizes.

Quant à l'étoffe destinée aux lourds habits, on ne l'employait pas immédiatement au sortir du "métier". Elle devait subir le foulage plus ou moins grand suivant qu'on voulait la rendre plus ou moins épaisse en vue d'habits plus ou moins durables.

À partir de 1875 ou 1880, plusieurs "moulins à eau" pouvaient fouler l'étoffe. Mais, très souvent, le foulage de l'étoffe avait lieu à la maison, au cours d'une corvée. On pouvait proclamer la corvée pendant l'hiver, ou plus souvent, au printemps.

Foulon à étoffe

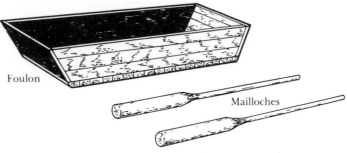

La fermière faisait préparer un "foulon" ou grand récipient de bois imperméable que l'on remplissait d'eau bouillante à laquelle on ajoutait un peu de savon haché. On faisait fabriquer (ou l'on empruntait) des "mailloches", sorte de rames possédant un pilon à la place du plat de la rame. Quatre hommes se plaçaient, deux chaque bout du foulon, et chacun dirigeait sa "mailloche" à la rencontre de celle de son partenaire d'en face. On entonnait une chanson, et l'on maniait les "mailloches" au rythme d'une mélodie, de façon à marteler la pièce d'étoffe placée dans l'eau du foulon.

On serait porté à penser que la chanson ne servait qu'à rompre la monotonie du travail, mais plusieurs vieux nous ont affirmé que ce rythme forçait chaque fouleur à reculer sa "mailloche" toujours à la même distance et ainsi à frapper l'étoffe avec la même force. Si chaque fouleur avait choisi son rythme, la rencontre des "mailloches" aurait causé des bosses dans l'étoffe. En régularisant l'impact des deux "mailloches" on obtient une meilleure qualité d'étoffe.

Les fouleurs chantent pendant quatre ou cinq minutes, puis s'arrêtent. La fermière vient visiter son étoffe, la retourne, la mesure . . . Pendant ce temps, quatre autres fouleurs succèdent aux premiers. Il va sans dire que le foulage de l'étoffe est une belle occasion pour se taquiner, se tirer des bulles de savon, se lancer de l'eau. On n'allait pas à une corvée de foulage d'étoffe en habits de cérémonie.

Quand la maîtresse de maison constatait que son étoffe était foulée à point, les invités aidaient à ramasser l'eau tombée sur le plancher, à sortir le "foulon" de la pièce, à tout ranger en ordre . . . en vue des jeux de société, du réveillon et de la danse.

Une fois séchée au grand air, l'étoffe était enroulée sur une large planche et attendait que la couturière l'utilise pour fabriquer paletots, pantalons de travail ou habits propres.

LE LIN*

Revenons au tissage de la toile de lin; il n'était pas différent de celui de l'étoffe ou de la catalogne. La seule différence résidait dans l'obtention de la "filasse" que l'on extrayait du lin ou plante textile. Cette plante possède, dans sa tige, des fibres très fortes qui, une fois filées (ou tordues), donnent un fil apte à fabriquer la dentelle ou la toile.

Quand le lin était parvenu à maturité (on le constatait à sa graine) on l'arrachait et on le laissait sécher au soleil (rouir). Ensuite, on le liait en gerbes et on le battait au fléau pour en extraire la graine. Il fallait ensuite procéder au brayage.

Brayage du lin

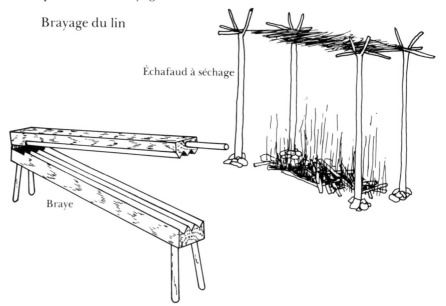

Échafaud à séchage

Braye

* À lire: La Corvée. "**Le brayage du lin**", Thomas Migneault, p. 119. Dupont, Jean-Claude. **op. cit.** p. 212.

C'était la corvée du brayage. On dressait au-dessus d'une grande fosse, où l'on allumait un feu, des poteaux en forme de fourches. Ces fourches supportaient des rondins sur lesquels on étendait les tiges de lin. On allumait un feu sous "l'échafaud". Un homme d'expérience surveillait attentivement le feu pour l'empêcher de se propager aux tiges de lin ou à l'étoupe qui allait bientôt entourer les "brayes".

À une certaine distance du feu, on disposait les "brayes", sorte de mâchoires doubles garnies de rainures qui se fermaient et s'ouvraient grâce à un "manche" manié de haut en bas par la main du brayeur. Dès que le "chauffeur" constatait que le lin était assez séché, il le distribuait par poignées aux brayeurs. Ceux-ci agitaient les mâchoires de la braye et brisaient l'écorce qui se transformait en aigrettes volatiles. Il restait dans les mains du brayeur une petite coite de "filasse" et près de la braye tombait l'étoupe, mélange de filasse et d'aigrettes. Ces coites de filasse étaient ensuite "écochées". Au moyen de "l'écochoir", on séparait les dernières aigrettes qui adhéraient à la filasse et l'on peignait celle-ci une fois débarrassée de toute paille et de toute fibre étrangère.

On ramasse l'étoupe dans des sacs; on s'en servira plus tard pour calfeutrer le tour des fenêtres ou les interstices du "campe".

Quant à la filasse d'un jaune doré, on la filait pour en faire un fil fin très solide que l'on utilise pour coudre ou pour en tisser de la toile à chemises, nappes, draps ou essuie-mains. La fileuse de lin doit continuellement se mouiller les doigts pour mieux "lisser" le fil du lin. On utilise le même "métier" pour tisser le lin que pour tisser la laine.

Chapitre 19

SOUS-PRODUITS DE LA FERME

A. LE SAVON*

Le tissage terminé, l'hiver s'achève, le printemps sera de retour avec un soleil plus chaud, semeur d'énergie nouvelle et pourvoyeur de travaux nouveaux.

Avec l'apparition des premières vagues de chaleur, la fermière pense aux matières grasses qu'elle a confiées au froid lors des boucheries d'automne et au cours de l'hiver. Nombre de morceaux de viande grasse et de parties osseuses ont été remisées en vue du savon. Comme la chaleur de l'atmosphère tend à faire dégeler les produits confiés au froid de l'hiver, on s'empresse, sur la ferme, à préparer les réserves de substances graisseuses, et le grand chaudron en vue de transformer les débris de graisses en savon.

La confection du savon se fera en deux étapes principales: le "consommage" et la "façon de savon".

Remarquons d'abord que, suivant l'époque, on utilisera du "lessi" ou potasse et que, plus tard, on utilisera du "caustique". De même, il y a plus d'un siècle, on utilisait de la gomme de sapin, alors que vers la fin du 19e siècle, on utilise de la résine ou arcanson.

Fabrication du savon

* À lire: **Les Archives de folklore** (5–6) "Moeurs lavaloises" p. 147 Morin, Louis. **Cahiers d'histoire,** n° 5 "Le calendrier folklorique de Saint-François . . ." p. 47 Dupont, Jean-Claude. **Histoire populaire de l'Acadie,** p. 235.
À lire: **Appendice,** sections C, E, L.

CONSOMMAGE

C'est une opération qui consiste à faire bouillir, dans un grand chaudron, tous les produits graisseux (même de l'huile animale) pour en séparer la graisse et en obtenir un produit consistant d'où l'on tirera le savon.

On déposait tous les débris graisseux dans un grand chaudron suspendu au-dessus d'un bon feu après avoir vidé un seau d'eau dans le récipient. De plus, on mélangeait à l'eau de la lessive domestique (ou caustique). Quand le tout a bouilli, la graisse vient à la surface, et les os, les viandes cuites restent au fond du chaudron. On laisse refroidir cette graisse purifiée et l'on attend au lendemain pour faire le savon.

"FAÇON DE SAVON"

Les paysannes prétendent qu'une livre de graisse donnait deux livres de savon.

La fermière lave son grand chaudron (qui a servi au consommage) et se prépare à faire son savon. Elle ne pourra pas facilement quitter son chaudron, par crainte de perdre une partie du savon quand celui-ci "se fâche" ou gonfle.

Elle a pesé la graisse du consommage, et prépare ses ingrédients en fonction de la quantité de graisse. Par exemple, si elle a 11 kilogrammes de graisse dans le chaudron, elle ajoutera 1,35 kilogramme de caustique, deux seaux et demi d'eau. Quand le tout commence à bouillir, elle ajoutera 2,75 kilogrammes de résine. Elle doit brasser ce mélange continuellement au moyen d'une "palette" de bois, dite "palette à savon". Elle doit surveiller continuellement les bouillons du mélange.

Après près de deux heures de "bouillage", elle voit l'aspect du savon changer et apparaître des sortes de filets d'une couleur plus noire. Elle lance alors dans le chaudron plusieurs poignées de sel et continue à remuer le savon du bout de la "palette". Le savon apparaît bientôt en beaux grains blonds. On réduit le feu sous le chaudron . . . Le savon est fait. On le laissera refroidir toute une nuit. C'est seulement le lendemain que l'on pourra constater si le savon est "réussi".

Une fois le savon refroidi, on coupe l'épaisse couche blonde de la surface en pains de dix centimètres de côté; et on le met à sécher sur des planches. Sous le savon, il reste un résidu gélatineux ou "potasse" que l'on recueille pour laver les planchers ou le linge solide (tapis) très sale.

Dans certaines régions on parle de savon dur et de savon mou. Ce dernier était fabriqué à partir de la seule graisse de table, tandis que le savon dur l'était à partir surtout de la graisse de boeuf.

B. LES SUCRES*

Le temps des sucres suit le rythme de la température. Il faut attendre que la neige commence à fondre et les arbres, à dégeler sous le soleil. La sève commence alors à circuler dans l'érable et c'est cette sève qu'il faut cueillir au passage et l'évaporer pour fabriquer le sirop ou le sucre.

Comme plusieurs autres techniques artisanales, la technique du sucre d'érable a ses secrets traditionnels, secrets qui regardent le moment d'entailler, la cuisson du sucre, la façon de se servir des moules . . .

En résumé, le "sucrier" doit procéder en plusieurs temps entre la sève

* À lire: Morin, Louis. **op. cit.** p. 36. Sr Marie-Ursule. **Les Archives de folklore**, nᵒˢ 5–6 "L'industrie du sucre d'érable", p. 79s.

Parle-moi de mon pays. Travail d'équipe. Larocque, Yvan. **Métiers, agriculture** . . . "La sucrerie", p. 77.

À lire: **Appendice,** section L.

Fabrication du sucre d'érable

tirée de l'arbre et le produit présenté au client ou au gourmet. Il lui faut:

— entailler les érables
— recueillir la sève de chaque arbre
— faire évaporer une grande quantité de sève
— arrêter l'évaporation à l'étape du sirop, de la tire ou du sucre
— mettre le sirop ou la tire dans un contenant propre et pratique
— mouler le sucre: en faire des pains, des coeurs, des cornets . . . ou autres formes de bonbons.

ENTAILLER

C'est une opération qui consiste à percer un trou dans l'érable pour y insérer un coin (ou goudrille) qui permettra à la sève de tomber dans une auge, un baquet de bois ou une chaudière (cassot) de fer blanc.

Depuis très longtemps, on se sert du vilebrequin pour fixer la goudrille (goudrelle). Autrefois, on se servait d'abord d'une gouge pour enlever un rond d'écorce; ensuite, au moyen d'un ciseau carré, on pratiquait une sorte de dalot s'avançant légèrement dans le bois de l'arbre. Au fond de cette entaille on enfonçait une tige de bois ou de métal destinée à diriger la sève vers l'extérieur de l'aubier.

Différents types de goudrilles

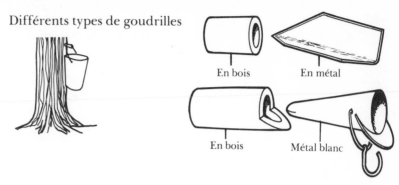

En bois   En métal

En bois   Métal blanc

Plus tard, on enfoncera une sorte de pointe de tôle en guise de goudrille. Cette dernière est devenue un petit cylindre de bois perforé que l'on enfonçait dans le trou percé par le vilebrequin. La goudrille permettait à la sève de passer de l'arbre au cassot suspendu, plus bas, à un clou ou un crochet. Enfin, on connut le chalumeau d'acier inoxydable fixé dans l'arbre comme la goudrille, mais qui portait un crochet capable de supporter le cassot.

Très longtemps, la sève d'érable tombait de la goudrille dans un auget de bois; plus tard, on connut les récipients en écorce, en bois ou en tôle . . . même en substance plastique. Mais il fallait recueillir cette sève dans un récipient qui ne communique pas au sucre un goût désagréable. Tous les cassots, les chaudières devaient être lavées et débarrassées de tout produit étranger . . . sinon, la réputation du "sucrier" était en jeu!

CUEILLETTE DE L'EAU

Quand la coulée de la sève est rapide, il faut vider les chaudières plusieurs fois par jour. Ces cassots ou chaudières ne contenaient que trois litres d'eau au maximum. Si l'on négligeait d'aller vider les chaudières, on perdait une bonne quantité de sève.

Il fallait visiter un par un chaque arbre entaillé et portant un cassot. Dans les petites érablières, on vidait dans un tonneau, placé sur un traîneau, le contenu de chaque cassot. Chaussé de raquettes spéciales (pattes d'ours), le "sucrier" ou son aide allait d'arbre en arbre en tirant le

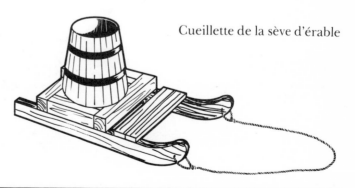

Cueillette de la sève d'érable

177

traîneau. Le tonneau placé debout sur le traîneau était de fabrication domestique, plus gros à la base qu'à l'embouchure. Cette forme particulière assurait une plus grande stabilité du tonneau sur le traîneau.

Assez tôt, on procéda à la cueillette de l'eau d'érable en utilisant un cheval attelé à un gros traîneau portant un tonneau en position horizontale. Des chemins assez primitifs sont tracés parmi les arbres; deux ou trois hommes versent les cassots dans des seaux et en transportent le contenu dans le tonneau.

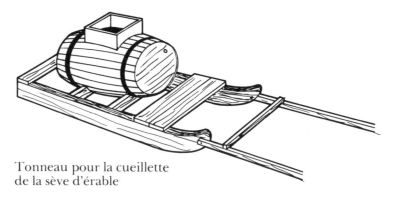

Tonneau pour la cueillette
de la sève d'érable

Ce tonneau est acheminé vers la cabane où aura lieu l'évaporation de la sève. On vide le tonneau dans un autre réservoir ou série de tonneaux et l'on va procéder maintenant à la "façon de sucre".

Cabane à sucre primitive

CABANE À SUCRE

Au début, c'est une cabane improvisée; deux ou trois murs temporaires, un toit fait de branches d'arbres, un grand chaudron suspendu par une chaîne ou un crochet d'érable. On allume un bon feu sous le chaudron qui contient la sève d'érable, et on l'entretient, jour et nuit. Deux hommes devaient surveiller le "bouillage de la sève". Un artisan de North Bay, Ontario [1], nous apprend qu'il fallait 272 litres [2] de sève pour obtenir 4,5 litres de sirop; or, il faut continuer l'évaporation pour obtenir la "tire".

Avec le temps, on bâtit des "cabanes" stables et un peu plus confortables. Ces cabanes avaient une caractéristique commune: une partie avait deux étages. Ce deuxième étage contenait deux côtés ajourés pour permettre à la vapeur du fourneau ou de l'évaporateur de se dissiper facilement. En hiver ou pendant l'été, des panneaux fermaient ces murs par l'extérieur.

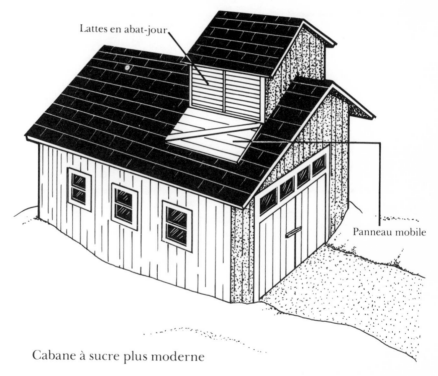

Lattes en abat-jour

Panneau mobile

Cabane à sucre plus moderne

Cette installation de "cabane" plus moderne a nécessité un système d'évaporation plus adapté et plus pratique. La surface d'évaporation est plus vaste, de même que le fourneau. On dispose de longues auges de tôle sur un vaste poêle alimenté au bois. Même en bénéficiant de ce procédé plus moderne, le "sucrier" est obligé de rester de longues heures près de son fourneau à surveiller le moment où la sève se changera en sirop.

DU SIROP À LA TIRE

Les anciens "sucriers" nous parlent des immenses précautions prises pour réussir le sirop. Il ne faut pas qu'il "prenne au fond" et goûte le

1. **Parle-moi de mon pays.** Enquête de groupe, p. 77.
2. Dans la Beauce (Québec), on compte 204 litres d'eau pour obtenir 4,5 litres de sirop.

brûlé; il doit être assez liquide pour bien se transvider et assez cuit pour bien se conserver. Un "sucrier" de l'ancien temps nous a révélé que, pour empêcher un bouillonnement excessif, il suspendait un morceau de lard au-dessus du chaudron rempli de sève en ébullition.

Dès que le liquide "dessine une feuille au bout de la palette" avant de retomber, le sirop est cuit à point. On coule ce sirop, et on peut en remplir des récipients. Si l'on veut obtenir de la tire, on le transvase dans un autre chaudron et on continue de le faire bouillir. Après quelques essais sur la neige, on constate tout à coup que le sirop s'y dépose en une mince couche dorée. La tire est prête à manger. Si l'on a des visiteurs à la "cabane à sucre", c'est le temps de les régaler.

Le "sucrier" ne se réserve pas, en général, une grande quantité de "tire". On la consomme presque toute au cours de la visite des amis, des membres de la famille, le dimanche. On préfère concentrer un peu plus le produit visqueux et en faire du sucre.

LE SUCRE

Quand on a obtenu la tire, il suffit de chauffer faiblement le liquide et de brasser le tout. Dès que le sucre casse dans l'eau, il est temps de le retirer du feu et de le mouler.

Les moules sont de bois et revêtent différentes formes: des pains, des coeurs ornés, des cônes . . . Souvent le pain porte, sur une surface, le dessin d'une gerbe de blé ou une feuille d'érable. On peut aussi sculpter, dans le moule, la forme de différents animaux: castor, chevreuil, orignal . . . Ces ornements sont sculptés pendant les temps libres de l'hiver. On mouille le moule et l'on y vide le sucre chaud; on le place au frais. Une heure plus tard, on ouvre les moules et l'on sépare les pièces réussies, destinées à la vente, des autres que l'on consommera à la maison.

LE DÉGRÉYAGE

Après plus de trois semaines de travail assidu à la "cabane à sucre", on surveille le moment où l'on doit dégréyer. Pour les uns, l'apparition du "sucre de sève" plus noir que l'autre, annonce la fin du bouillage. Pour les autres, quand le rouge-gorge (merle) arrive, ou que les pluies commencent à tomber, la saison du sucre est terminée.

On enlève les chaudières, les goudrilles, on lave les chaudrons et les casserolles. C'est le dégréyage! On replace tout en ordre en vue de la prochaine saison. On ferme la cabane après avoir remonté les panneaux de l'étage d'évaporation. Restera à attraper le meilleur prix possible pour son sucre et ne pas oublier les clients habituels et leurs amis!

C. LE TRAVAIL DU CUIR*

Le paysan se sert du cuir pour confectionner l'attelage du boeuf ou du cheval. Il s'en sert surtout pour fabriquer ses chaussures et celles de sa famille.

La chaussure: elle est de deux genres. Elle tient du mocassin indien et du soulier de France.

Le mocassin: était un soulier mou, fabriqué de peau de chevreuil, et qui ne recouvrait que le pied.

Nos paysans adoptèrent très tôt ce genre de chaussure très pratique surtout pour l'hiver. On le fabriquait d'une seule pièce de peau de boeuf tannée, cousue à l'avant et à l'arrière, épousant la forme du pied, sans distinguer toutefois le soulier droit du soulier gauche. On préparait d'a-

* À lire: **Les Archives de folklore,** nº 5–6 p. 140. **Les Archives de folklore,** nº 8, p. 114. Dupont, Jean-Claude. **Histoire populaire de l'Acadie,** p. 224.

bord la partie d'avant en plissant à un bout une pièce rectangulaire de cuir. On trempait cette empeigne dans l'eau, et, au moyen d'une "babiche" ou d'un ligneul, on façonnait à l'aide d'une forme de bois le bout rond qui chaussait les orteils. En tirant sur le ligneul qui parcourait le pourtour antérieur du cuir, et en tapant les plis au moyen d'un marteau (ou petite masse de bois) on obtenait un bout arrondi. Le cordonnier préparait ensuite une languette de cuir de forme arrondie destinée à s'adapter au bout rond préparé. Au moyen de deux fils de ligneul enduit de goudron ou de résine fondue, le paysan joignait (en perçant des trous au moyen de l'alêne) la languette à l'empeigne du soulier. Restait à coudre l'arrière de la chaussure. On rejoignait d'abord, en les plaçant à sens inverse (l'intérieur devenait l'extérieur) les deux lèvres verticales du cuir, ensuite on relevait la partie arrondie que l'on cousait à ces deux lèvres réunies. On retournait le soulier, on en battait les coutures contre une forme de bois. Le cordonnier s'occupait maintenant de la languette de l'avant-pied. Il la fendait de 5 ou 7,5 centimètres dans la partie qui allait rejoindre la jambe, et y perforait des trous destinés à recevoir les lacets de cuir. Cette partie divisée en deux se cousait à la partie qui recouvrait la cheville du pied, et le soulier (sauvage) était prêt à être porté.

Première étape de la fabrication du mocassin

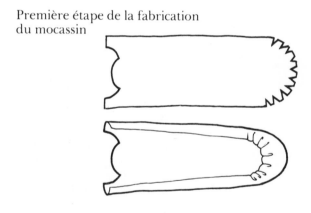

Assemblage des pièces du mocassin

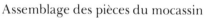

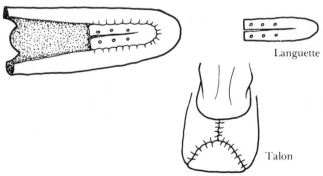

Languette

Talon

Le mocassin terminé

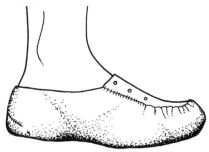

LA BOTTE SAUVAGE

La botte sauvage consistait en un soulier (apparenté au mocassin), cousu à une jambe de cuir de mouton, montant jusqu'au genou. Le soulier était fabriqué comme on l'a indiqué plus haut, sauf que la languette recouvrant les orteils et le cou-de-pied s'adaptait à la jambe de cuir par l'entremise d'une langue arrondie. La jambe faite de peau de mouton, une fois cousue comme un manchon, s'adaptait à la languette arrondie. Restait à coudre, à double ligneul, les rebords de ce mocassin à ceux de la jambe de cuir mince. C'était la botte sauvage.

Nos paysans fabriquaient et portaient l'été (surtout pour le travail en forêt) la botte malouine. C'était une botte sauvage, mais plus forte, plus confortable à cause de sa semelle et son talon en cuir épais dit "goudrier".

La botte sauvage

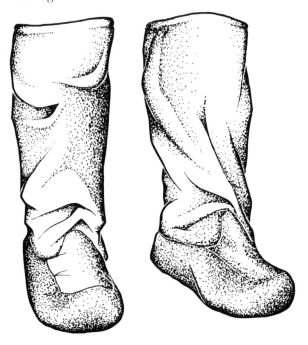

Les deux parties de
la botte sauvage

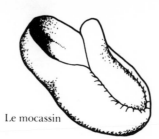

Le mocassin

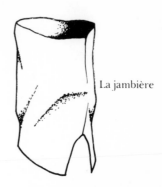

La jambière

LE SOULIER FRANÇAIS

En plus du "soulier sauvage" et de la botte, le paysan fabriquait aussi le "soulier français". Ce soulier était fabriqué de cuir assez fort; il portait une semelle et un talon. Le paysan-cordonnier le moulait sur une forme de bois.

Au contraire du mocassin ou soulier sauvage, le cuir destiné au soulier français enveloppait la forme de bois en partant du dessus de ce moule. On préparait un rectangle de cuir dans lequel on découpait un rond allongé. On taillait, tout autour du rectangle, une sorte de dentelure destinée à donner une forme plus arrondie à ce morceau de cuir. Après avoir découpé une pièce de cuir mince que l'on applique comme fausse-semelle au pied de bois, on dispose la pièce de cuir, imbibé d'eau, sur la forme de bois en plaçant l'ouverture ronde sur la partie *A* du moule. L'artisan ramène en dessous de la forme de bois le pourtour dentelé de la pièce de cuir, et lie l'une à l'autre, sous la forme de bois au moyen de fils de ligneul, les dents qui apparaissent autour du cuir.

Dès que le cuir a adopté la forme d'un soulier (du pied gauche ou du pied droit) le cordonnier procède à la pose de la semelle de cuir épais (ou goudrier) qu'il fixe au soulier, grâce, en général, au clou de bois. Ce clou traverse la semelle et la relie à la fausse-semelle à l'intérieur du soulier. On ajoute un talon pour rendre la chaussure plus confortable.

La forme de bois

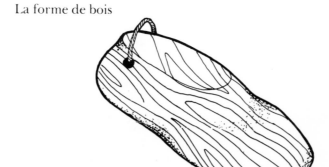

Pièce de cuir destinée à
devenir soulier français

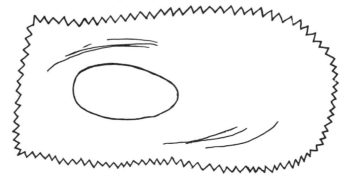

Dessous du soulier
avant la pose de la semelle

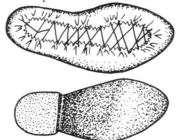 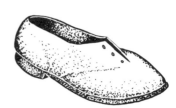

Avant de retirer la forme de bois, l'artisan fend le cuir qui recouvre une partie du pied; ces deux bandes de cuir seront garnies de trous destinés à y passer les lacets de cuir ou de fil tressé. Il restera au cordonnier à régulariser le bord du soulier et parfois à le hausser un peu (en ajoutant une bande de cuir) au niveau de la cheville du pied.

Pour empêcher l'eau ou la poussière de salir les bas, l'artisan place une "langue" de cuir très mince entre le pied et l'incision qui permet de lacer ou délacer le soulier.

Très souvent, le cordonnier ajoutera un "renfort" à l'arrière du soulier (à l'intérieur) pour prévenir les plis inconfortables qui pourraient se créer avec le temps. Ce "renfort" était cousu au soulier et était de cuir mince, mais assez rigide.

On noircit le soulier, on le polit; on a ainsi un soulier propre que l'on portera surtout le dimanche . . . et en particulier à la danse. On ne peut marquer le rythme d'une gigue simple ou d'une danse carrée, si l'on est chaussé seulement de mocassins! Il faut un talon et une semelle pour "accorder" sa danse à la mélodie du violoneux. Nous comprenons maintenant pourquoi José Blais, dans "Le bal chez Boulé", chante:

". . . Mit son beau fichu noir
Et ses souliers francés (français),
S'en va chercher Lisett'
Quand il fut bien gréyé! . . .
   Vogue, marinier, vogue! . . ."

D LE CHAPEAU DE PAILLE*

Le tressage de la paille était une autre occupation de la paysanne (parfois de la grand-mère), au cours de l'hiver. Mais il avait fallu préparer ce travail, l'été précédent, en choisissant, pendant les étapes de la récolte de blé, des tiges bien constituées, conformes aux exigences de la paille tressée. On suspendait ces pailles en paquets dans une chambre, en attendant la saison du tressage. À ce moment, on coupe les pailles en longueur de 30 à 36 centimètres, on les dépose dans une auge remplie d'eau tiède. Les tiges de blé deviennent très souples, et l'artisane peut les plier sans crainte de les briser.

On tressait la paille en vue d'en fabriquer des chapeaux de femme, d'homme ou d'enfant, pour le travail des champs ou pour les beaux dimanches. On verra plus loin que souvent on fendait les tiges pour donner une paille plus délicate et en faire des chapeaux de femme plus légers et de meilleure apparence.

L'artisane liait ensemble cinq, sept ou neuf tiges de paille et en commençait le tressage. Elle en obtenait une bande de paille qu'elle enroulait et gardait précieusement en vue de la fabrication des chapeaux à l'approche de l'été.

Pour donner une touche plus artistique à ses chapeaux, l'artisane teignait souvent en rouge ou en vert un certain nombres de pailles qui entraient dans la tresse. Parfois, elle faisait alterner une paille rouge avec une verte, parfois elle se contentait de deux pailles rouges ou deux vertes tout au long de la tresse.

On fabriquait les chapeaux de paille pour se protéger contre le soleil brûlant. La femme d'autrefois se coiffait d'un chapeau à larges bords pour protéger son teint contre les ardeurs du soleil d'été.

L'artisane, avant d'entreprendre la fabrication de ses chapeaux, doit mouiller abondamment sa paille tressée. Elle doit l'écraser au moyen d'une bouteille, ou la presser entre deux rouleaux pour l'amincir et lui donner une épaisseur régulière.

Parfois, elle se servira d'une forme à chapeau; souvent, elle se fiera à son oeil ou placera de temps en temps la calotte du chapeau sur la tête du destinataire. Mais elle doit se rappeler que la calotte, en séchant, va se rétrécir. La paysanne commence sa calotte de chapeau par une bande ronde formée de lanières de paille tressée, cousues de fil de lin et contraintes d'adopter une forme ronde.

Fabrication du chapeau de paille

* À lire: Morin, Louis. **Op. cit.** p. 70. **Les archives de folklore,** n⁰ 5–6, p. 140. **Les archives de folklore,** n⁰ 8, p. 107. Dupont, Jean-Claude. **op. cit.** p. 220. Lévesque-Dubé, Alice. **Il y a soixante ans.** p. 79.

Quand le fond de la calotte sera assez grand, on orientera les lanières de paille dans un autre sens pour former la calotte.

On pourra mouler la calotte sur une forme de bois ou on se laissera guider par l'expérience. À la calotte, la paysanne ajoutera un rebord très large, s'il s'agit d'un chapeau de femme, plus étroit, s'il s'agit d'un chapeau d'homme ou d'enfant.

Chapeau pour homme

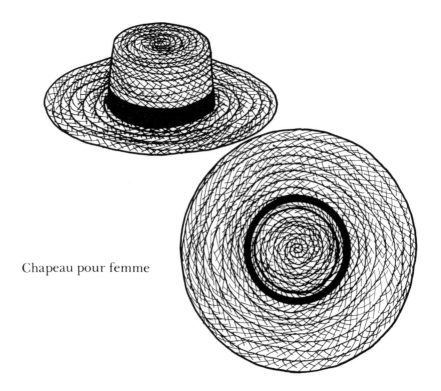

Chapeau pour femme

L'artisane ne manquera pas d'orner la calotte du chapeau d'une bande d'étoffe de couleur assortie et de différentes dimensions suivant l'âge ou le rang du destinataire.

Nous avons parlé plus haut du "chapeau fin" ou chapeau de toilette de grande fête. Ce chapeau était également fabriqué de paille tressée mais de paille fendue en quatre parties avant le tressage. C'était un travail très long, qui exigeait des doigts habiles, mais le produit était très léger et très délicat.

Outil pour fendre la paille

Pour fendre la paille en quatre parties, on se servait d'un outil de bois allongé portant une pointe de métal très acérée. Deux lamelles très tranchantes, placées en croix, faisaient suite à la pointe. La paille, sous la force de la pointe était dirigée vers ces quatre couteaux qui fendaient la paille en quatre lames égales. Ces bandes délicates étaient tressées d'après la même technique que la paille entière. La bande tressée était beaucoup plus mince et plus souple. On fabrique encore, paraît-il, de ces chapeaux de dames, très recherchés par les touristes élégantes.

Chapitre 20
LES RAQUETTES

PRÉPARATION DU LAÇAGE*

Une des autres nombreuses occupations du paysan, pendant l'hiver, était le laçage des raquettes. Il avait besoin de cette chaussure en hiver, pour aller à la chasse, ou bûcher le bois en forêt; il s'en servait aussi le printemps au temps des sucres. À cette époque, la neige est fondante ou croulante. Il faut souvent chausser la raquette pour se rendre à l'érablière ou recueillir la sève des érables entaillés.

Comme pour toute autre industrie paysanne, l'artisan laceur de raquettes doit préparer son travail de longue date. En novembre ou décembre, il devra tuer lui-même un orignal ou s'entendre avec un chasseur qui puisse lui fournir une peau d'orignal. Il tannera lui-même cette peau à l'état cru. On dirait plutôt que, au moyen d'un couteau bien aiguisé, il rase le poil après avoir fait tremper la peau dans l'eau.

Une fois la peau nettoyée de son poil, l'artisan coupera la peau en lisières, en taillera une partie en babiche [1] et gardera le reste au frais, en vue de l'utiliser plus tard.

Quelques artisans utiliseront aussi le cuir de boeuf, d'autres, la peau de l'anguille. Cette dernière peau, plus rare, donne une babiche très forte, qui n'absorbe presque pas l'eau. Donc, même si la neige est mouillée, cette babiche de raquette n'en deviendra pas plus molle.

On prétend que la peau de boeuf est plus sensible à l'humidité et pourrit plus rapidement que la peau d'orignal.

GENRES DE BABICHE

Le triangle antérieur (avant) et postérieur (le talon) de la raquette demande une babiche beaucoup plus fine que celle du centre de la raquette.

On taille la babiche au moyen d'un couteau, mais un novice dans cet art peut produire une babiche irrégulière, ou trop fine ou trop grosse. L'artisan expérimenté peut fournir facilement une babiche d'un diamètre constant. Il aiguise un gros couteau, le plante dans une table (ou un bloc de bois mou), la partie non aiguisée tournée vers lui. Il fait ensuite une coche, de l'épaisseur du cuir, dans une baguette de bois. Il cloue

* À lire: **Les Archives de folklore,** nᵒ 5–6 "**Civilisation traditionnelle des Lavalois**", p. 143

Les Archives de folklore, nᵒ 8 "**La vie traditionnelle à Saint-Pierre**" (Île d'Orléans), p. 111

Lavoie, Roger. **La raquette.**

Carpentier, Paul. **La raquette à neige.**

1. **Babiche:** Lanière de cuir cru dont on se sert pour lacer des raquettes à neige, ou pour réparer rapidement courroies ou chaussures.

cette baguette juste derrière le couteau aiguisé.

Fabrication de la babiche

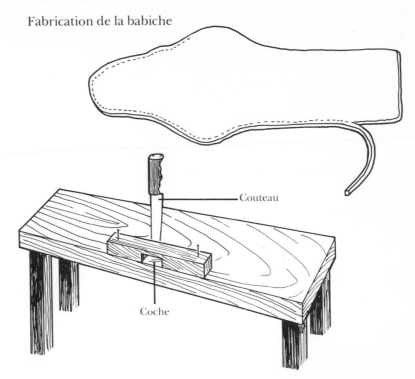

L'artisan tranche au bord de sa pièce de cuir une mince lanière, du diamètre qu'il juge convenable pour son travail.

Il passe cette lanière dans le trou laissé libre entre la lame du couteau et la limite de la coche. En tirant sur la lanière, le morceau de cuir vient en contact avec la lame du couteau et se tranche en une fine lanière d'une largeur régulière. L'artisan n'a qu'à tirer sur la babiche; la moindre pièce de cuir va se diviser en belle lanière que l'on fait tomber dans un seau en attendant le laçage de la raquette. Cette babiche est conservée dans des seaux, à une température fraîche. Cette opération peut se faire à l'époque de la chasse, donc en temps plutôt froid.

LE FÛT

Le fût est le cadre de bois sur lequel on tissera le treillis de babiche destiné à empêcher le pied de s'enfoncer dans la neige.

Le fût est fait de bois de frêne blanc. On ne fait pas scier une bûche de frêne en minces baguettes, mais on fend la bûche de frêne en suivant l'âge du bois. Au moyen d'un coin de fer, on fend le billot en minces tranches de 3,85 ou 5 centimètres. Ces planchettes seront, à leur tour, divisées en baguettes qui suivront, elles aussi, le fil du bois.

Si l'on ne respecte pas ce fil du bois, le fût sera plus faible et même se brisera quand on lui donnera sa forme définitive.

Une fois les baguettes débitées et polies à la plane, il faut les faire sécher, plusieurs jours. On leur a donné les dimensions approximatives suivantes: 2,5 centimètres de côté et 2,5 mètres de longueur.

LES SORTES DE RAQUETTES

— La foliée (forme de feuille; queue)
— La lancéolée (pointue aux deux bouts)
— La piriforme (forme de poire, sans queue)
— Patte d'ours (forme de goutte — presque ronde)

Différents styles de raquettes

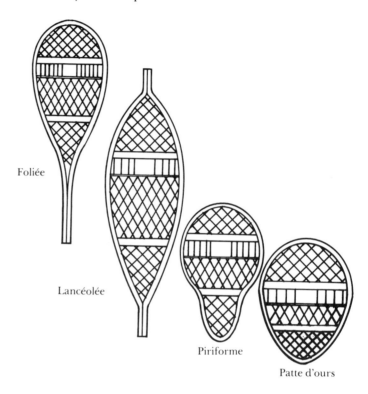

Foliée

Lancéolée

Piriforme

Patte d'ours

Tous ces styles de raquettes ont été communiqués à nos ancêtres par les Amérindiens. Nous avons conservé surtout la foliée et la patte d'ours. La première se prête bien à la longue marche et au sport; elle peut être plane ou relevée à l'avant, à la façon d'un ski.

Raquette à bout relevé

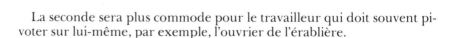

La seconde sera plus commode pour le travailleur qui doit souvent pivoter sur lui-même, par exemple, l'ouvrier de l'érablière.

LES BARRES

On prépare ensuite les barres transversales de la raquette dans des planchettes de bouleau également fendues. Ces planchettes sont amincies et polies à la plane en se servant du "banc-chien" pour stabiliser le bois. L'artisan peut ainsi se servir de ses deux mains pour manier la plane.

Banc-chien ou banc à bardeau

FABRICATION DU FÛT

L'artisan doit d'abord décider s'il va fabriquer une raquette foliée ou la patte d'ours. La première exige un fût sans soudure, la seconde exige un fût en deux parties: deux pièces courbées qui se joignent l'une à l'autre.

Dans les deux cas (raquette foliée et patte d'ours), il faut placer les baguettes de frêne dans l'eau bouillante ou la vapeur, pour les rendre flexibles. Les artisans modernes se servent de moules, les artisans de l'ancienne génération façonnaient le fût sur leur genou, de façon que le cadre, après avoir effectué une courbe assez prononcée à l'avant, forme un mince triangle à l'arrière tout en s'appuyant sur les deux barres préparées en même temps que le bois du fût. Ces barres s'insèrent dans le fût grâce à des mortaises. Même la patte d'ours admet deux barres de différentes longueurs.

Jonction de la babiche
avec le fût(les 3 parties
de la raquette)

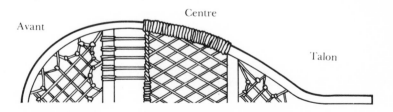

Centre

Avant

Talon

ENCAVURES

Rappelons que la raquette se compose de trois parties: l'avant, le centre et le talon. Dans la partie du centre, la babiche tourne autour de la baguette de bois qui constitue le cadre. Dans les parties avant et le talon, la babiche (plus fine) ne se fixe pas directement au cadre et à la barre, mais par l'entremise de la ralingue [2] ou "dentelle". Cette babiche entre dans le fût, à tous les 7,5 centimètres, par deux trous qui se rejoignent par une encavure ou enfoncement par lequel la ralingue est protégée contre le frottement de la neige. C'est dans ces encavures et sous le fil de la ralingue que certains artisans placent des pompons rouges à leurs raquettes.

Insertion de la ralingue dans le fût

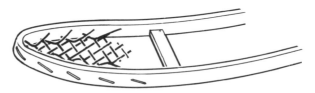

LAÇAGE (OU EMPAILLAGE)

Le laçage se fait en trois étapes: l'avant, le talon, et enfin, le centre. Il serait trop long d'expliquer ici la technique du laçage. D'ailleurs, d'excellents artisans commencent leur laçage par la gauche de la raquette, d'autres commencent par la droite. Remarquons, toutefois, que la babiche est toujours disposée d'après une sorte de triangle [3]. Pour effectuer le laçage, l'artisan se sert de deux sortes d'aiguilles. L'une assez petite (7,5 centimètres x 50 millimètres) et l'autre plus grosse, pour le centre (10 centimètres x 70 millimètres). Cette aiguille est faite de bois très dur, pointue à chaque bout et percée d'un petit trou destiné à introduire la babiche. Cette aiguille permet à l'artisan de glisser sa babiche tantôt par-dessous, tantôt par-dessus les lanières déjà en place.

Aiguille à lacer des raquettes

Principe général du laçage de raquettes

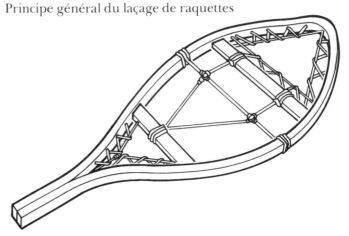

2. **Ralingue:** Babiche très forte et très fine que l'artisan fixe au fût et aux barres pour attacher la babiche du laçage.

3. Carpentier, Paul. **Op. cit.**
   Lavoie, Roger. **Op. cit.**

Pendant le laçage, la babiche doit tremper dans l'eau et être très molle. En séchant, elle se contractera, raidira, et offrira un treillis solide. Mais gare à l'apprenti qui aura trop serré les brins de babiche pendant le laçage! La force de la babiche pourra fausser le fût et donner une raquette médiocre sinon inutilisable. L'artisan doit connaître, par expérience, la juste tension qu'il doit imprimer à chaque brin de babiche mouillée.

QUELQUES OBSERVATIONS

Une raquette dont l'avant est retroussé, sera très efficace dans la plaine couverte d'une épaisse couche de neige molle. Elle sera sujette à glisser en montant une pente où la neige est durcie. Dans ce cas, la raquette plane offrira une plus grande surface de traction.

Si l'artisan a scié ses baguettes de fût au lieu de les fendre, le fût en est affaibli; de même si l'artisan fait ses mortaises trop grandes, le fût se brisera sous l'effet d'un choc normal.

Une raquette foliée (à queue) causera certaines difficultés au raquetteur dans les tournants à angle droit; la patte d'ours (qui n'a pas de queue) sera plus apte à faire pivoter le raquetteur sur lui-même.

Une raquette lacée avec un cuir qui absorbe l'humidité de la neige n'obéira pas immédiatement au mouvement de la jambe qui veut la soulever. Elle devient "poche molle". D'où l'avantage d'une peau non affectée par l'humidité. Souvent, un vernis ou un huilage rendra imperméable un cuir qui, laissé à son état naturel, absorberait l'humidité.

Autrefois, chaque paysan pouvait lacer ses propres raquettes. La femme était souvent très habile à lacer la raquette, une fois que le mari avait fabriqué le fût. Il y avait avantage à fabriquer le fût longtemps à l'avance; il avait le grand avantage d'être très sec au moment du laçage.

Plus tard, le laçage de raquette sera l'apanage d'un artisan qui se consacrera à la raquette et pourra en améliorer la technique, en faisant certaines expériences dans les domaines du bois et de la babiche.

Actuellement, grâce au "frigidaire", on peut conserver la babiche longtemps et lacer des raquettes même en été.

La raquette, un autre "chef-d'oeuvre" canadien, a évolué entre le 18e siècle et l'époque actuelle, grâce au talent de nos artisans et aux emprunts faits aux techniques industrielles!

Chapitre 21

LES
ENFANTS

On peut difficilement traiter du paysan défricheur et colonisateur, sans parler de ses enfants, surtout à la période historique qui nous intéresse. C'est précisément, à ce moment, que les familles sont nombreuses. Ces enfants, il faut les nourrir, les habiller, les éduquer, les endurer . . . mais on peut aussi tirer parti de leurs talents, de leur forces et de leur bonne volonté.

Il est évident qu'un enfant de cinq ou six ans ne pourra pas, sur la ferme, remplir une tâche stable. Mais tout en s'amusant, il peut rendre nombre de services au père ou à la mère. Il pourra aller porter un outil, surveiller la flambée du four, accompagner sa mère dans le champ pour l'aider à cueillir les fruits sauvages. Et même si les jeunes fréquentent l'école, il leur reste du temps pour se délasser en rendant service à la maison ou à l'écurie.

Nous verrons donc, dans les pages qui suivent, évoluer l'enfant dans la maison, la grange, le champ ou la forêt du paysan. Sans analyser ses moindres gestes, sans nous arrêter à ses jeux ou à son travail des différentes étapes de ses jeunes années, nous le verrons collaborer, selon ses forces, aux travaux de la maisonnée, tout en se réservant des loisirs qui se confondront souvent avec l'apprentissage de son futur métier d'agriculteur.

Il était assez rare qu'un paysan se découvre une vocation de défricheur à l'âge de quarante ou quarante-cinq ans. En général, il se décidera d'avoir son propre lot, sa propre ferme à l'époque de son mariage, alors qu'il déborde de force et d'optimisme. Il a probablement collaboré à l'exploitation de la ferme paternelle jusqu'à l'âge de vingt ou vingt-cinq ans; un beau jour, il entend parler d'une nouvelle région qui s'ouvre à la colonisation et il s'y choisit un lot.

Il a peut-être une femme et un enfant auxquels il va tenter de donner le plus de confort possible. Quand la paysanne s'installe dans la demeure temporaire du nouveau canton, une grande partie de son temps et de son énergie ira à son bébé qu'elle veut heureux et en santé. Très tôt, l'enfant comprendra qu'il doit se contenter du peu que ses parents peuvent lui donner: une nourriture saine et des vêtements adaptés aux conditions d'un milieu fruste et encore peu aménagé.

À cette époque, la vanité n'a pas sa place dans la demeure du colon. Même si l'habit n'est pas confectionné selon la mode de Paris ou de New York, on le portera, pourvu qu'il soit solide et chaud. Les enfants, surtout quand ils ne quittent pas la maison, ne refusent pas de porter une pièce de vêtement dont les mesures ne vont pas à leur taille. Assez souvent, l'aîné de la famille passera à un plus jeune frère un habit qu'il ne peut plus porter. En général, il en va autrement des chaussures; le papa ou la maman prendra le temps de confectionner des souliers, des bottes ou des mocassins qui satisfassent les pieds des enfants.

Donc, souvent l'habit de l'enfant qui ne va pas encore à l'école — si école il y a — n'est pas toujours élégant. C'est vers l'âge de douze ou treize ans que les jeunes auront des vêtements faits à leur taille, pour fréquenter l'église ou les milieux sociaux. Et même dans ces circonstances, les enfants ne doivent pas porter d'habits propres quand ils travaillent au dehors ou à la grange. Ils prennent l'habitude de "se déchanger" ou d'enlever les habits propres avant d'aller accomplir une besogne salissante. D'ailleurs, le papa leur donne l'exemple en revêtant des habits spéciaux pour nettoyer ou nourrir ses animaux.

Les enfants se verront, jour après jour, attribuer une petite besogne; aujourd'hui, un tel va aider la maman à chauffer le four; le lendemain, il verra à remplir la "boîte à bois" près du poêle de la cuisine. Une fillette devra aller donner le grain aux poules; son petit frère devra chasser du jardin potager les canards ou les dindons . . . La maman n'attendra pas que ses enfants atteignent l'âge de dix ans avant de les entraîner, chaque soir, dans son potager, pour sarcler, transplanter, cueillir des feuilles de rhubarbe ou donner la chasse aux vers qui attaquent les choux. Il va sans dire que le papa et la maman vont bientôt détecter chez tel de leurs enfants une aptitude spéciale. La fillette montrera un grand intérêt pour la plate-bande de fleurs; le garçonnet n'aura pas peur d'attraper les rats ou les souris. Un autre sera très patient pour soigner un petit animal maladif. Rien ne fera plus plaisir à un enfant que de se voir confier une tâche, même pénible, parce que le papa ou la maman souligne chez lui telle aptitude ou telle qualité.

Que la maman carde la laine ou pétrisse le pain, que le papa répare la charrue ou un joug à boeuf, les enfants observent les gestes de leurs parents; ils sont prêts à apporter un outil ou à courir chercher un renseignement à la maison. Plus tard, ou même à l'heure du jeu, ils essaieront de répéter les gestes des aînés; ils tenteront de construire une réplique de telle voiture, de tel outil. Leur expérience s'enrichit au contact des parents qui s'ingénient à parfaire telle tâche parfois difficile.

Les petits grandissent; ils travaillent à leur façon, ils jouent à leur façon. La fillette se fabriquera facilement une poupée d'un quartier de bois de chauffage pendant que son petit frère plantera quatre chevilles dans un rondin de cèdre pour s'en faire un cheval prêt à atteler. Ces petits paysans étaient proches de la nature et ne s'intéressaient pas à un ourson de peluche dont rêvaient les enfants de parents fortunés.

À l'extérieur, en été, le fils aîné se construit un "cabarouet" ou voiturette à deux roues: la carrosserie est faite d'une boîte d'emballage, les roues sont tirées d'une bûche de bouleau. Il a obtenu du papa deux belles roulettes de bouleau; il lui suffira maintenant d'emprunter le vilebrequin et la mèche. Le papa ne refusera pas ce petit service à son aîné qui commence déjà à l'aider à la ferme. Cette brouette à deux roues ne servira pas seulement à la promenade des plus jeunes; elle servira à apporter plus rapidement ou plus poétiquement le bois de chauffage à la mai-

Cheval de bois (jouet)

son. Le garçonnet apportera sa voiturette au jardin pour en rapporter des herbes destinées aux animaux ou au dépotoir. De semaine en semaine, la voiturette affichera une couleur nouvelle ou un ornement neuf.

Cabarouet (cabrouet) d'enfant

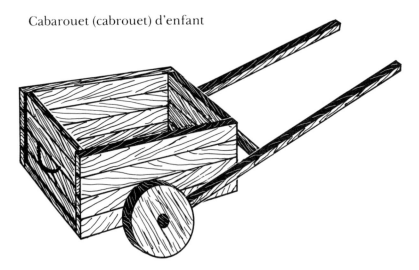

Une des caractéristiques des enfants, surtout des enfants des siècles passés, est d'aimer les petits animaux, surtout les chiens. Assez rares étaient les colons trop pauvres pour nourrir un chien. Cet animal pouvait facilement dénoncer avec tapage les petits rôdeurs à la recherche de nourriture. Même de petite taille, un chien savait défendre les biens de son maître; il se portait souvent au secours d'un enfant perdu ou en danger de se noyer.

Le garçonnet de six ou sept ans savait déjà mêler le chien à ses jeux et à ses tâches. Imagine-t-on le jeune fils d'un colon se bâtir une voiturette sans trouver le moyen de la faire traîner par le chien? Il a vu son père atteler le boeuf ou le cheval sur la charrette à deux roues. Au moyen de cordes ou de courroies, il réussira à fabriquer un harnais au chien et à lui faire tirer une brouette quelconque. À plus forte raison s'il s'agit d'un traîneau. Le fils du colon attelait volontiers son chien pour apporter le bois de poêle à la maison.

Pendant l'hiver, la tentation était forte, chez les enfants des paysans, d'atteler un veau ou un jeune boeuf. Encore là, le traîneau destiné au bois de chauffage jouait le rôle de carrosse. La neige épaisse était souvent utilisée comme frein efficace à la vitesse de l'animal; il s'y fatiguait assez tôt et devenait facilement docile. Quel succès quand le garçonnet réussissait à lancer son jeune boeuf sur la route en le guidant, assis ou debout sur son traîneau! Même les parents ne s'opposaient pas à ces initiatives de leurs rejetons, ils y allaient souvent de leurs conseils et de leurs mises en garde pour les inviter à la prudence. Quand l'aîné avait réussi à dompter le jeune boeuf, ses parents lui confiaient certaines randonnées dans le canton ou au village.

Ces activités des jeunes autour de la maison du colon entretenaient, chez les parents, l'espoir de former de futurs fermiers, aussi habiles dans les champs que dans la forêt. Un vrai colon devait savoir tirer parti de la pêche et de la chasse pour survivre et varier le menu de la maisonnée. C'était le rôle de la chasse, en pays de colonisation.

Après les récoltes, le colon procédait aux boucheries. Les têtes ou les tripailles des bêtes à cornes fournissaient de bons appats pour attirer les renards vers les pièges à ressort. Les enfants préféraient une chasse moins sophistiquée. Dès le mois de novembre, ils se rendaient au bord de la forêt où ils tentaient de capturer perdrix ou lièvres au moyen de collets de laiton. Ils savaient reconnaître facilement un sentier de lièvre, une piste de perdrix; restait la pose du collet au-dessus du "chemin de lièvre" en utilisant une branche souple de sapin appelée perche. On faisait une sorte de barrière de branches, on y laissait une petite ouverture où l'on disposait un collet de la grandeur d'une tête de lièvre. L'animal suivait sa route habituelle, s'élançait dans l'ouverture de la barrière et se trouvait pris par le cou. Plus il tentait d'avancer, plus le collet l'étouffait. Même s'il traînait la perche du collet pendant quelques minutes, il finissait par mourir suffoqué.

Chaque jour, tôt le matin, les enfants, les garçons surtout, allaient visiter leurs collets et rapportaient fièrement leur gibier. Très tôt, les jeunes apprenaient comment "pleumer" un lièvre ou préparer une perdrix. Si le lièvre était gelé, on le faisait dégeler près du poêle avant d'en enlever la peau et les viscères. Parfois, on utilisait la peau du lièvre pour s'en faire des mitaines ou des ornements de paletot.

Quand la neige commençait à épaissir, la chasse au lièvre devenait trop difficile; on l'abandonnait pour occuper autrement ses loisirs d'enfants.

De fait, c'est surtout pendant l'hiver que les enfants vont jouir de leurs loisirs. La glace, la neige, la forêt, la plaine, la montagne, tout est occasion d'amusement. Dès la fin de novembre, le traîneau des enfants attend à la porte de la maison. Le premier traîneau est un cadeau du papa. L'aîné se fabriquera son propre traîneau avant l'âge de dix ans. Ce véhicule n'est pas toujours destiné à promener les plus petits sur la route. Il peut aussi dévaler la colline à grande vitesse. Eh, oui! Les jeunes vont "glisser" dans le flanc de la côte.

En plus du traîneau ordinaire qui sert à "glisser" ou à charroyer le bois de poêle, les jeunes paysans avaient d'autres "inventions", par exemple le tape-cul ou la "giguelle", véhicule très simple formé d'une lame de bois (un ski) sur laquelle repose un poteau coiffé d'un siège à angle droit avec le ski. Le jeune homme ou l'enfant prend place sur le siège passablement élevé, tient l'équilibre au moyen de ses pieds qui ne touchent plus la neige et se laisse descendre sur la pente enneigée; il gouverne son véhicule en se penchant tantôt à gauche, tantôt à droite. Ce petit véhicule léger et facile à construire se remonte facilement en haut de la côte: l'enfant le pousse, les deux mains appuyées sur le siège, ou le porte sur son épaule.

Tape-cul ou "giguelle"

Quand la neige est profonde, le glisseur se foule une piste en descendant plusieurs fois la colline et en utilisant constamment la même route. La vitesse de ce petit véhicule était étonnante et pouvait occasionner des blessures sérieuses à l'enfant qui avait le malheur de frôler de trop près une clôture ou un chicot.

L'imagination des jeunes ne se bornait pas à fabriquer le tape-cul simple, appelé *tobagane*, dans certaines régions, *rosanack*, ou *pite*, dans d'autres. Les glisseurs d'une famille ou de plusieurs familles amies improvisaient facilement un plus long véhicule composé d'un madrier reposant à chaque extrémité sur un tape-cul simple. Ce long véhicule monté par une dizaine de glisseurs pouvait dévaler des pentes parfois assez tourmentées à une vitesse surprenante et avec une précision rarement prise en défaut.

Ce véhicule, assez élevé (64 à 76 centimètres) et passablement léger, trouvait un concurrent à première vue moins dangereux dans le "bob-sleigh" ou réplique à mesures réduites d'une "sleigh" de chantier. Ce véhicule pouvait se diriger grâce au train avant qui était mobile. Ce "bob-sleigh" pouvait rarement donner place à plus de trois glisseurs. On

Tobagane (tape-cul) double

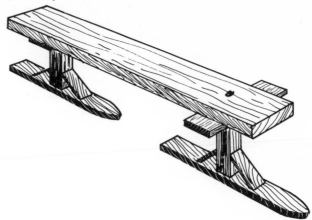

disloquait facilement ce traîneau en deux trains que l'on reliait par un long madrier. Le chauffeur de ce véhicule se plaçait à l'avant et le dirigeait au moyen de cordes ou de broches. Dix ou douze passagers descendaient la colline, assis sur ce long véhicule rapide . . . qu'il fallait remonter au sommet de la colline, aussi longtemps que la patience ou l'estomac n'en décidât autrement.

Bob-sleigh (traîne à sommier individuelle et pour groupe)

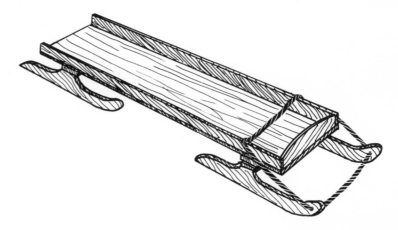

En général, ces aventures de glisseurs avaient lieu le jour. Mais . . . souvent, un vif clair de lune, joint à une température froide qui durcissait les pentes, finissait par attirer les enfants et les jeunes gens hors de la maison. Les parents fixaient alors leurs conditions: d'abord réciter la prière et le chapelet en famille, user de prudence et revenir à une heure peu tardive.

Nous signalons, en passant, certaines coutumes qui autorisaient les jeunes, certains soirs de carnaval, à utiliser la traîne à bâtons ou la sleigh de travail pour glisser au cours de la veillée.

Déjà vers les 1860, on connaissait le patinage sur les lacs, les rivières ou les étangs. On se fabriquait des patins au moyen d'une planchette de bois et d'une tige d'acier provenant d'une vieille lime polie à la meule d'émeri. On fixait facilement ces patins sous les chaussures (bottes ou souliers français) au moyen de courroies ou de cordes.

Ainsi, ont grandi les enfants de 1860 ou de 1900. Ils ont vieilli dans une austérité apparente, sans le confort moderne, mais dans le grand air, et occupés à des travaux ou à des loisirs capables de développer leurs initiatives, leurs talents d'artisans ou de défricheurs pleins de courage et d'équilibre mental. Les jeunes de 1860, 1870 ou de 1890 vivaient en pleine nature, sans cesse au contact avec les animaux de la ferme, très tôt au courant des mystères de la vie, malgré les formules apparemment cabalistiques d'une philosophie de prudence adaptée aux circonstances. Il y a un siècle, le grand-père ou la grand-mère avaient des méthodes très concrètes et efficaces pour expliquer aux adolescents les principes de transmission de la vie chez les hommes et les animaux.

Ces enfants ont vieilli, ils sont devenus nos grands-parents, ils ont suivi l'évolution de la technique et du savoir tout en conservant le souvenir de la façon d'agir de leur père ou de leur mère. "Ma vieille mère employait tel remède pour guérir une brûlure!" L'octogénaire d'aujourd'hui sait encore comment son père fabriquait un sifflet d'aulne vers 1850. Les septuagénaires de notre époque se rappellent encore la conscience professionnelle de l'artisan du siècle dernier, le respect du fermier à l'égard de l'aïeul qui avait bâti la maison ou défriché le premier lot. Telle vieille dame n'oublie pas les heureux moments où, les yeux rivés sur les mains ridées de sa grand-mère, elle a appris à filer le lin. Ce sont des souvenirs enfouis au fond de la mémoire, des outils conservés dans le hangar, cette poutre équarrie en 1885 par le vieil oncle, ce sont ces mille et un incidents racontés par les défricheurs de deux ou trois générations, c'est là la richesse de notre héritage traditionnel! C'est là la vraie figure de la vie paysanne, celle que nos grands-parents ont vécue!

Puissions-nous ne pas oublier ces courageux colons qui ont travaillé, sué, usé leurs forces pour humaniser ce coin de terre où le confort moderne, la vitesse, la machine électronique sont en train de nous inviter à la passivité, à la paresse. Sans bouder toute la technique moderne, rappelons-nous que nos ancêtres paysans, tout en charroyant leurs billots dans leur traîne à bâtons tirée par un boeuf, se sentaient plus heureux que nombre de leurs descendants obligés de transporter, en avion supersonique, des lingots d'or de Tokio à Toronto.

APPENDICES

APPENDICE A

La presse à foin

Description et fonctionnement d'après l'information reçue de:
1. M. Régis Brazeau, 70 ans, né à Ripon, Québec, et résident de la région de Sudbury depuis 1918.
2. M. Alpha Guimond, né à Blezard Valley, Ontario, en 1906; son père (Elzéar): Cap Saint-Ignace, Québec; sa mère (Albina Bergeron): Saint-Gabriel-de-Brandon.
3. M. Oscar Méthé, né dans le comté de Rayside, en 1913, son père (Joseph) et sa mère (Valéza Saint-Amant) étaient natifs de Hull, Québec.

— Les habitants pressaient leur foin pour la simple raison que ça prenait moins de place pour l'entreposer dans les "tasseries". C'était plus commode aussi lorsqu'on vendait le foin aux chantiers de bois par exemple et qu'on le transportait sur le chemin de fer dans les wagons. Un autre avantage était le fait que l'on pouvait très aisément peser le foin ainsi vendu en "balles".

Description

— La presse à tour complet était ainsi appelée parce que les chevaux faisaient un tour complet autour du cabestan.

— Tout d'abord, il y avait une boîte renforcie d'acier. Sur le dessus, il y avait un "hopper", espèce d'entonnoir carré, fabriqué de bois, qui permet de placer plus aisément le foin dans la presse.

— Quatre écrous ajustables (deux verticaux et deux horizontaux) placés au bout de la presse, compriment ainsi le foin à l'intérieur.

— Le "Foulon", par un mouvement de va-et-vient, applique une pression sur le foin à l'intérieur, qui se trouve ainsi comprimé de tous côtés.

— Six "doigts" (ou chiens), trois de chaque côté, situés près du "hopper" empêchent le foin (ou la porte selon le stade de l'opération) de revenir en arrière.

— À chaque coup de foulon, une "galette" (ou palette) de foin est ajoutée à la balle de foin.

— Une marque arbitraire (souvent faite à la craie sur le dessus ou le côté de la boîte) donne le signal à "l'attacheur", préposé au liage, que la balle est devenue assez longue et qu'il faut en commencer une autre.

— Des "guides" (conduits ou lattes d'acier) au nombre de deux de chaque côté, avec l'aide des rebords surélevés du fond et du dessus de la boîte, empêchent la balle de se plier par le milieu en attendant qu'elle soit liée.

— Quatre roues supportent le tout (il ne faut pas oublier ici que deux autres roues sont temporairement installées sur le cabestan lors du transport de la machine d'une ferme à l'autre, par exemple).

Installation

— Avant de mettre la machine en place, il faut:

1. Creuser un canal dans la terre pour y déposer la poutre de bois du cabestan.

2. Enlever les roues qui supportent le cabestan et déposer celui-ci sur le sol.

3. Planter quatre piquets pour maintenir le cabestan en une position stable.

4. Placer des blocs de bois derrière les roues de la presse.

5. Ajuster les écrous de compression.

6. Aligner le pilon avec le foulon.

Fonctionnement

— Un minimum de six hommes est nécessaire pour le pressage du foin.

— Deux sur la "tasserie"; ceux-ci jettent le foin sur la table.

— Un homme qui place le foin dans le "hopper" et qui place la porte au bout de chaque balle.

— Un homme qui attache la balle de foin, une fois que celle-ci est formée. C'est ce même homme qui crie "porte" quand c'est le moment de terminer une balle et d'en commencer une autre.

— Un homme qui range les balles terminées, pour débarrasser le bout de la presse.

— Enfin, un homme qui conduit les chevaux.

Note: Un "ticket" (billet, mais fait de bois) était inséré sous une des broches pour qu'on puisse y inscrire le poids de la balle de foin une fois celle-ci pressée.

— La balle de foin est liée en trois points spécifiques déterminés par les trois fentes de la porte.

Note: La balle pesait d'habitude entre 60 à 70 kilogrammes. Mais il n'était pas rare que l'on fabriquât des balles allant jusqu'à un poids de 90 kilogrammes.
Au début, les fentes de la porte étaient carrées. Ceci créait un problème: le foin avait tendance à s'y infiltrer et les bloquer, ce qui rendait la tâche de passer la broche plus difficile. C'est pourquoi la porte fut par la suite améliorée: les fentes étaient coupées en biseau.

Différentes étapes du pressage

1. Le foin est déposé sur la table d'alimentation placée sur le côté de la presse.

2. Il est ensuite rabattu dans le "hopper" avec l'aide d'une fourche raccourcie à cet effet.

3. Le foulon presse le foin par un mouvement de va-et-vient, et le pousse vers la sortie. Le foin subit une pression horizontale et verticale, pression qui est ajustable à l'aide d'écrous placés sur le dessus et le côté de la presse.

4. Six "doigts" (ou chiens) empêchent le foin de revenir en arrière.

5. Lorsque la balle est assez longue (environ 1,25 à 1,50 mètre) une porte est déposée au bout de celle-ci et une nouvelle balle commence à se former.

6. La balle continue d'avancer et lorsque la porte apparaît entre les conduits, trois broches sont passées à travers celle-ci, ainsi qu'à travers l'autre porte. On coupe alors la broche à la bonne longueur, un noeud est fait, et la balle se trouve ainsi liée.

7. La balle continue d'avancer et est recueillie au bout de la presse.

Note: Les compagnies qui construisaient des presses à foin au début du siècle portaient les noms suivants:
>Mc Leary Co.
>Bayne
>International
>Chalifoux (presse à demi-tour)
>Moody (telle que décrite)
>McCormick-Deering
>Dorry

Note: M. Régis Brazeau a fait allusion au mouvement du foulon qui revient brusquement à l'aide des ressorts. Il a employé le terme "déclutcher" pour dire que tout lâchait.

APPENDICE B

La culture des patates

Selon M. Emile Montpellier, né le 28 novembre 1896. Son père (Pierre Oscar) est natif de Curran (région de Plantagenet, Ontario).

Préparation du sol

— Au début, M. Montpellier se souvient qu'il semait ses patates entre les souches qu'il n'avait pas encore eu le temps d'arracher. C'était un long travail que de défricher une terre neuve.

— Il affirme qu'il avait rendu sa tâche plus facile en se "jonglant un plan". Pour donner plus de force à ses chevaux lorsqu'ils tiraient sur des souches, il avait imaginé une nouvelle méthode pour utiliser son système de poulies:

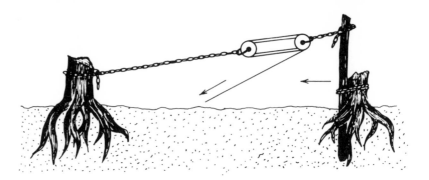

— Il creusait un trou près de la souche à arracher et y plaçait un poteau de cèdre pour ensuite l'attacher à ladite souche. (Auparavant, il avait pris soin de placer ses poulies au bout du poteau afin de ne pas être obligé de grimper de dans.) La prochaine opération consistait à rattacher les poulies à une autre souche au moyen d'un câble. C'est ainsi que le poteau faisait fonction de levier et augmentait considérablement la force qu'exerçait les chevaux attelés au système de poulies.

— Au début, il fallait étendre le fumier sur le champ. Tout se faisait à l'aide d'un "broc". Le broc est beaucoup plus large qu'une fourche. Son manche est plus court cependant. De plus, une poignée au bout du manche permet de mieux contrôler le broc afin qu'il ne tourne pas sur le côté, ce qui aurait pour effet de laisser tomber la "fourchetée".

— M. Montpellier remplissait sa "waguine à talons hauts" (ainsi appelée du fait que les roues arrière étaient passablement plus grandes que les roues avant). Le fond de cette voiture était ainsi légèrement incliné vers le devant. Ceci causait le glissement du matériel transporté vers l'avant de la voiture, ce qui l'empêchait de tomber au bout arrière de la voiture. M. Montpellier explique en plus que c'était ainsi plus facile à tirer pour les chevaux, du fait que la plus grande partie de la pesanteur se trouvait ainsi distribuée près des roues avant de la voiture.

— Une fois le fumier étendu uniformément sur la surface du champ, on préparait le sol avec la charrue. À cette époque, les semeuses à patates n'existaient pas. C'est pourquoi on employait la charrue pour le faire.

— Pour débuter, on "tire" deux sillons dans un même sens.

— La prochaine étape consiste à épandre de la paille (ou d'autre fumier si désiré) dans le sillon.

— Ensuite, il faut semer les morceaux de patates espacés à peu près de quinze (15) centimètres. De plus, si on place le morceau de patate de sorte que le germe soit sur le dessus, la récolte sera prête plus tôt. (Note: On coupait les patates de semences en plusieurs morceaux pour en avoir une plus grande quantité; il fallait faire attention de laisser un "germe" à chaque morceau cependant.)

— Pour terminer, il faut donner deux coups de labour dans le sens contraire aux deux premiers pour ainsi recouvrir les patates.

— Durant l'été, d'autres travaux s'imposent. Il ne suffit pas de semer les patates au printemps. Il faut aussi "renchausser" les rangs de patates à mesure que celles-ci grossissent. C'est avec une "pioche" que le fermier doit replacer la terre par-dessus les patates qui cherchent à sortir de terre.

— Souvent, il faut arroser les "pieds de patates" avec du "vert-de-paris", poison qui aide à contrôler les "bébites à patates". Cet insecte est apparenté à la coccinelle, du moins lui ressemble-t-elle d'après M. Montpellier.

L'arrachage de patates

— Lorsque la récolte est prête (au mois d'octobre habituellement), il faut arracher les patates. Certains creusaient à l'aide de leur pioche. Mais ils coupaient beaucoup de patates ainsi. Le "broc" était plus utile, soulevant les patates, mais laissant la terre couler à travers ses "pics".

— D'autres cultivateurs, un peu plus débrouillards, employaient leur charrue pour la récolte.

— Tout d'abord, ils devaient enlever le "couteau" (le coutre) d'après l'oreille (versoir) de la charrue pour éviter de couper les patates.

— Ensuite, ils labourent le rang de patates en prenant soin de pencher leur charrue presqu'à l'horizontal. C'est ainsi qu'ils pouvaient renverser le rang et exposer les patates à l'air libre. Il ne restait qu'à les cueillir.

L'entreposage

— Les pommes de terre étaient entreposées dans la cave de la maison, ou dans des caveaux creusés dans la terre fraîche.

APPENDICE C — Technique pour recueillir la "potasse" nécessaire à la fabrication du "savon du pays"

D'après un entretien avec M. Fernand Bonin d'Azilda. Son père est natif d'Embrun, Ontario, et sa mère (Marguerite Chevrier) est native de Mattawa, Ontario.

M. Bonin est né à Azilda en 1904. Il est demeuré dans la région toute sa vie. Il fut menuisier, "frêmeur" de grange, métier qu'il a appris de son père; il fut également fermier.

— Pour avoir de la bonne potasse, il faut recueillir la cendre du bois franc. Le meilleur bois pour le faire est le chêne; ensuite vient l'érable, enfin c'est le frêne, mais il contient moins de potasse que le chêne; aussi, la potasse venant du frêne est-elle de moins bonne qualité que celle venant de la cendre du chêne.

— Tout d'abord, il faut faire attention de ne pas faire brûler n'importe quelle sorte de bois avec le bois franc. Il faut essayer de garder la cendre aussi "pure" que possible. Il est nécessaire que le bois soit complètement brûlé. Plus la cendre est "poudreuse" mieux ça ira pour fabriquer la potasse.

— On ramasse la cendre avec une petite gratte et on la dépose dans un tonneau de bois.

Note: Selon M. Bonin, il est imprudent de se servir d'un contenant en fer ou tout autre métal, pour la simple raison que la potasse est tellement corrosive qu'elle attaque les métaux.

— La prochaine étape consiste à ajouter de l'eau à cette cendre jusqu'à ce que l'on se retrouve avec une boue presque liquide. À ce point-ci, il faut laisser reposer ce mélange pendant plusieurs jours. La cendre descend et se dépose au fond du tonneau. Le liquide devient brun ou rougeâtre.

— On peut alors employer ce liquide pour la fabrication du "savon du pays". Il faut en ajouter à la graisse et aux autres ingrédients qui entrent dans la confection du savon.

— On peut aussi laver des planchers de bois, que ce soit de bois franc ou de bois mou, avec le liquide ou "jus", sans nécessairement que ce soit sous forme de savon. "Les planchers devenaient propres et presque d'un beau jaune pâle de paille" affirme M. Bonin.

APPENDICE D   Façon de déterminer l'âge d'un cheval d'après ses dents

Propos de M. Jules Ross de Hanmer. Ses parents sont natifs de Rimouski, Québec.

— Un cheval a six dents supérieures et six à la mâchoire inférieure qui peuvent aider à déterminer son âge.

— Jusqu'à deux ans et demi, un poulain a ses "dents de lait".

— À deux ans et demi, les deux dents du milieu, dents n°s 3 et 4 de la mâchoire inférieure, ainsi que les dents n°s 9 et 10 de la mâchoire supérieure tombent et sont remplacées par des dents permanentes.
Mâchoire supérieure: 7 ⑧ 9 ⑩ 11 12
Mâchoire inférieure: 1 2 ③④ 5 6

— À trois ans, ces deux dents permanentes sont en usage, c'est-à-dire qu'elles sont rendues à leur bonne longueur.

— À trois ans et demi, les dents n°s 2, 5, 8 et 11 tombent et sont remplacées par des dents permanentes.

— À quatre ans, ces dents permanentes sont en usage.

— À quatre ans et demi, les coins (c'est-à-dire les dents n°s 1, 6, 7 et 12) tombent.

— À cinq ans, quatre dents nouvelles ont remplacé celles perdues à quatre ans et demi. On dit que le cheval a "pleine gueule". Le cheval et 10% des juments ont alors leurs "crocs" (la jument a ses crocs à n'importe quel âge).

— À six ans, la première paire en bas, n°s 3 et 4 commencent à montrer de l'usure. On dit que la "fêve est usée", c'est comme une fêve qu'on coupe en deux.

— À sept ans, les dents n°s 2 et 5 montrent de l'usure.

— À huit ans, toutes les six dents de la mâchoire inférieure montrent de l'usure.

— À neuf ans, la paire du milieu en haut, n°s 9 et 10 montrent de l'usure.

— À dix ans, les n°s 8 et 11 de la mâchoire supérieure montrent de l'usure. (De plus, à ce moment-là, il y a un crochet qui se forme dans les dents du coin (n°s 7 et 12) à la mâchoire supérieure).

— On peut ainsi dire, avec exactitude, l'âge d'un cheval jusqu'à son dixième anniversaire.

— Dépassé dix ans, il faut regarder avec attention les proportions de la dent. Il faut comparer l'épaisseur de la dent en rapport avec sa largeur.

APPENDICE E

1. La confection du savon

D'après les propos de M. Elorie Trottier de Blezard Valley. Son père (Onésime) est natif de Saint-Dominique-des-Cèdres, Québec (comté de Bagot); sa mère (Malvina Séguin) est native de Saint-Lazare (comté de Vaudreuil), Québec.

— Ordinairement, le savon était fabriqué au printemps, aussitôt la neige disparue, pour une raison bien pratique: toute la graisse de porc, ainsi que le suif de boeuf, que l'on avait ramassée durant l'hiver (lorsqu'on avait "fait boucherie" pour se préparer pour les "fêtes") aurait vite fait de se gaspiller avec l'approche des journées plus chaudes.

— Puisqu'on préférait en fabriquer une quantité suffisante pour un an, les opérations se déroulaient à l'extérieur de la maison, près de la "shed à bois", afin d'avoir tout le bois nécessaire à portée de la main.

Préparation

— On plantait quatre gros piquets en terre, pour supporter une perche (préférablement de bois vert pour empêcher qu'elle brûle) ou un tuyau d'acier ou de fer si l'on pouvait s'en procurer.

— Alors, on pendait un gros chaudron en "fonde" (fonte) à cette perche.

— Dans ce chaudron, on plaçait de l'eau (aussi douce que possible), du suif de boeuf, trouvé surtout autour des "rognons" (reins), et de la graisse qu'on enlevait surtout des "tripes" (boyaux) et de la panse du porc, ensuite de la "lissie". Un peu d'arcanson venait compléter le tout pour empêcher la solution de déborder trop facilement.

— On chauffait le tout pendant deux à trois heures, au petit feu, pour ne pas le faire déborder.

— Avec l'aide d'une "palette" de bois on enlevait l'écume et les saletés flottant sur la surface, tout en brassant continuellement.

Note: On utilisait souvent la porte d'une des bâtisses pour protéger le feu du vent et ainsi éviter qu'il ne se propage. De plus, le vent ne pouvait pas ramasser toutes sortes de "tisons" et de "brindilles" du feu et les déposer dans le savon.

— Lorsque le mélange devenait d'une consistance désirée, il fallait le laisser refroidir et se solidifier. C'est alors qu'on le découpait en petits "pains".

2. Sur la ferme: élevage des moutons

— Le mouton était élevé pour deux raisons principales:
  1. Pour sa chair, du fait qu'il constituait une bonne source de viande fraîche pour l'habitant.
  2. Surtout pour sa laine, produit très utile pour la confection de vêtements chauds nécessaires à cause du climat rigoureux canadien.

La bergerie

— L'hiver, afin que le rendement et la qualité de la laine puissent être le plus élevé possible pour chaque bête du troupeau, on gardait les moutons dans une "bergerie" qui ne devait surtout pas être trop bien protégée du froid. Le paysan savait que plus ses moutons auraient froid durant les saisons froides, plus belle serait la laine au printemps. C'est pourquoi la "bergerie" n'était qu'une simple cabane, très mal "insulée", construite la plupart du temps d'un simple rang de planches ou de bois rond, avec des fentes laissées intentionnellement afin de permettre au vent et au froid d'y pénétrer facilement. Une bonne ventilation à travers ces mêmes fentes était aussi nécessaire durant les mois chauds d'été. À l'intérieur de la bergerie se trouvaient des crèches-mangeoires dans lesquelles l'habitant déposait la nourriture constituée surtout de "pesat". (Le "pesat" serait, paraît-il, le pied et les écales de pois que l'on recueillait au moment où il était battu au fléau).

— Il faut conclure que la bergerie avait pour fonction première non pas de protéger les moutons contre les intempéries et le froid, mais plutôt de les mettre à l'abri de certains animaux sauvages tel que le loup et l'ours noir.

La tonte

— La tonte (à noter ici que le mot tonte est employé par le paysan et pour désigner l'action de tondre la laine et pour se référer au temps de l'année où la tondaison se faisait) commençait au début de mai aussitôt que les chaleurs du printemps apparaissaient.

APPENDICE F

Témoignages de M. Donat Paradis de Blezard Valley. Son père (François-Bruno) est natif de la région du Lac-Saint-Jean; sa maman (Emma Limoges) est native de Hull, Québec.

Remèdes magiques

— On peut guérir la "grosse gorge" avec une couleuvre.

— Il faut commencer par attraper une couleuvre sans lui faire de mal.

— Sans la tuer, on prend la couleuvre par la tête et la queue et on la fait tourner trois fois autour du cou du malade. Il ne faut pas la tuer ou lui faire de mal.

— On relâche ensuite la couleuvre. Celle-ci prend le mal, enfle et meurt.

— On peut aussi faire bouillir des branches de cerisier et boire la tisane ainsi recueillie pour se guérir de la grosse gorge.

— On peut frotter une verrue avec un pois sec. Ensuite, il faut lancer le pois par-dessus sa tête en faisant attention de ne pas regarder où le pois tombe. Lorsque le pois sera pourri, la verrue disparaîtra.

— Si un cheval se fait une entorse, on n'a qu'à arracher des crins de la queue du cheval en un lieu où ça ne paraîtra pas. Ensuite on attache la couette de crin après l'orteil du maître (après le gros orteil) pour la natter. On prend cette natte et on crache dessus.

— La prochaine étape, c'est d'attacher cette natte à la patte du cheval, juste au-dessus de la corne. Il ne faut pas l'attacher trop serrée cependant. Il faut aussi que tu croies dans ça pour que ça marche.

Façon d'enlever les poux d'un cheval

— Pour voir si un cheval a des poux, on lui met une couverture sur le dos et on le promène pour le réchauffer. S'il a des poux, on peut alors les apercevoir dans le bout des poils.

— On verse alors de l'huile à lampe sur le cheval mais pas trop à la fois cependant. On procède sur une petite surface à la fois. On allume avec une allumette et on éteint aussitôt avec de l'eau et de la neige et on brosse le cheval avant de continuer.

Note: Pour plus de sécurité (pour ne pas brûler la bête) certains lavaient ou trempaient le cheval avant de commencer.

Le mal de dent

— Il n'y avait pas de dentistes dans les chantiers. Si quelqu'un attrapait le mal de dents, il devait se débrouiller.

— Certains touchaient le nerf dans le cavité de la dent avec une broche à foin brûlante pour le brûler.

— Une autre méthode consistait à placer un grain, gros comme un soufre d'allumette, de "lessi" dans la cavité. Ceci avait pour effet de brûler le nerf. Il fallait cracher aussitôt de peur de s'empoisonner.

APPENDICE G   Le métier de "coupeur de glace"

D'après les propos de M. Arthur Jodouin de Sudbury. Son papa (Louis) est natif de Montebello, Québec et sa mère (Louise Fortin) est native de Pembroke, Ontario.

M. Jodouin est né à Sudbury, en 1898, et fut résident de Sudbury toute sa vie. Il fut "contracteur en glace" pendant très longtemps.

Il était employeur pour deux groupes d'hommes différents:
1. Les coupeurs (l'hiver)
2. Les vendeurs (l'été).

Au commencement de l'hiver, il creusait un trou dans la glace du lac Ramsey pour voir si elle était assez épaisse. Il devait aussi demander au "Bureau de santé" de Sudbury de venir vérifier, à l'aide d'échantillons, la qualité de l'eau avant que celle-ci ne passe à l'état solide, afin de déterminer si la glace n'était pas polluée.

M. Jodouin s'était procuré une scie à glace chez Cochrane où l'on trouvait un peu de tout.

Avant de commencer à scier, il fallait enlever la neige avec une "gratte" tirée par des chevaux.

Ensuite, on passe le "petit marqueur" pour tirer les lignes. On utilise les chevaux pour le faire. Le "petit marqueur" après qu'on l'a passé trois fois, creuse des rainures de 7,5 centimètres de creux. Ensuite, il faut passer le "gros marqueur" qui, lui, creuse jusqu'à 30 centimètres de profondeur.

Pour terminer, il faut achever de couper la glace avec la scie à glace.

Chaque matin, les hommes descendaient au lac à pied ou en "p'tits chars électriques".

M. Jodouin avait demandé à un certain forgeron dénommé Latour, lequel possédait une boutique de forge pas trop loin de l'Hôtel Nickel Range, de lui fabriquer une scie motorisée, d'après les idées qu'il avait ramenées d'un voyage à Chicago où il avait pu admirer une telle machine.

M. Jodouin vendait de la glace aux fermiers qui en avaient besoin pour leurs glacières. Ces glacières étaient de petites cabanes très bien "insulées" dans lesquelles les fermiers gardaient leur viande et leurs légumes.

Il en vendait aussi en quantités assez importantes aux "chemins de fer". Ces compagnies utilisaient cette glace dans leurs wagons transportant de la viande, du poisson, ainsi que des légumes ou des fruits. Le seul inconvénient c'était que ceux-ci ne se gênaient pas pour téléphoner à n'importe quelle heure de la nuit.

À cette époque, beaucoup de poisson venait de Britt. Mais aujourd'hui, on n'y en trouve plus beaucoup. On l'a trop pêché.

Les hommes devaient creuser un canal dans la glace pour qu'ils puissent tirer les gros blocs de glace jusqu'au bord du lac. Il fallait rouvrir ce canal à chaque matin puisque l'eau gelait durant le nuit. Sur la rive se trouvait une grande bâtisse qui servait d'entrepôt pour la glace. La bâtisse mesurait 28 mètres de largeur par 28 mètres de longueur. On pouvait y garder la glace jusqu'à l'été.

Les hommes tiraient les blocs le long du canal avec des "pack-poles". Souvent, un homme tombait à l'eau. Il devait se dépêcher d'aller se changer avant d'attraper un rhume ou une pneumonie.

Tout l'été, il vendait de la glace de porte en porte. Au début, il avait une petite voiture tirée par un cheval. Il couvrait la glace avec des toiles pour éviter qu'elle ne fonde. Les gens en achetaient pour leurs glacières. Les bouchers étaient de bons clients aussi.

Note: Apparemment, selon M. Jodouin, il y avait beaucoup de restaurants chinois à cette époque. Ils étaient de bons clients aussi.

Ça coûtait 50 sous pour un bloc de glace. On portait ces morceaux avec une paire de pinces à glace.

Quand un client en voulait deux morceaux, on les plaçait dans un sac de toile muni de deux poignées. Deux hommes pouvaient alors prendre chacun de son côté. Il ne faut pas oublier que chaque bloc pesait environ 23 kilogrammes.

APPENDICE H Le beurre

D'après les explications de Mme John David (Marguerite) âgée de 76 ans. Son papa était natif de Saint-Lazare (comté de Vaudreuil), Québec.

— Mme David se rappelle avoir fait du beurre avec une "baratte", au tout début.

— Mais plus tard, son époux lui avait acheté un vrai moulin à beurre. Certains appelaient cette espèce de moulin une "grosse Victoria" (peut-être parce que le tonneau faisait penser à la Reine Victoria d'Angleterre qui était une femme assez grasse).

— Il fallait prendre de la crème à la température de la pièce pour faire du beurre. Ça allait mieux.

— Mme David se servait d'une "écrémeuse" avec un robinet sur le côté pour séparer la crème du lait.

— Il y avait une petite vitre "grande comme un 50 sous" dans le couvercle du moulin à beurre par où l'on pouvait vérifier si le beurre était en train de "prendre".

— Pour enlever le "p'tit lait" du beurre, Mme David se servait d'une presse à beurre.

Presse à beurre

— Lorsque le "petit lait" est complètement enlevé du beurre, c'est le temps de saler ce dernier. On étend le sel sur le beurre et on le presse à l'aide du rouleau.

— Une fois le beurre salé, on le ramasse à l'aide d'une palette et on le presse dans un moule. Mme David affirme qu'elle possédait deux moules: un pouvant contenir environ 250 grammes de beurre: ce premier était rond et il imprimait un motif de fleur sur le beurre. Son deuxième moule, plus grand (il pouvait contenir environ 500 grammes de beurre), était carré et imprimait quelques lignes décoratives sur les bords de la brique de beurre.

— Enfin, pour terminer, on pouvait envelopper le beurre dans des papiers fabriqués expressément pour ce faire. Ça ressemblait à du papier de soie, mais c'était plus épais.

— Si la quantité de beurre fabriquée était trop grande pour les besoins immédiats de la consommation, on en plaçait dans la "laiterie", endroit frais, et peu éclairé. Puisque le beurre était salé, on pouvait ainsi le garder pendant un mois à peu près, même en été.

APPENDICE I

Témoignages de M. Albert Portelance de Blezard Valley. Son père (Léon) est natif de Rockland, Ontario; sa mère (Sara Martin) est native de Bourget, Ontario.

Méthode pour "ties": (traverses-"dormants")

1. Pour commencer, on "natche" (faire des entailles "coches") dans le billot. (Note: Une "tie" mesure 2,44 mètres de long).

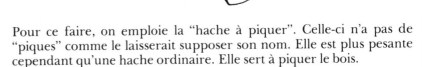

Pour ce faire, on emploie la "hache à piquer". Celle-ci n'a pas de "piques" comme le laisserait supposer son nom. Elle est plus pesante cependant qu'une hache ordinaire. Elle sert à piquer le bois.

2. En deuxième lieu, on équarrit le billot avec une "hache à équarrir". Cette hache est plus pesante et le tranchant est beaucoup plus large que d'ordinaire.

APPENDICE J   La boucherie

D'après l'entretien avec M. Willie Bélanger, né en 1900, à Chelmsford, Ontario, et fermier toute sa vie. Son père vient de Saint-Raphaël, comté Bellechasse, et sa mère est native de Buckingham.

— Pour commencer, on tue le cochon en l'assommant, puis on le saigne.

— Il faut toujours saigner l'animal, que ce soit un porc ou un boeuf, pour que la viande soit propre à manger.

— Certains vieux croyaient qu'il faut tuer le porc "dans l' fort de la lune" pour que le lard soit meilleur. Ils affirmaient que le lard fondrait mieux dans la poêle. C'était "plus de profit" ainsi.

— Pour saigner, il faut couper l'artère du cou en rentrant un couteau pointu vers la poitrine de l'animal.

— On jette un peu de sel dans le sang recueilli pour l'empêcher de figer, pour pas qu'il caille.

— Certains faisaient griller leur cochon avec de la paille. Ils plaçaient deux billots de bois sous le cochon et le recouvraient de paille. Ensuite, ils y mettaient le feu et faisaient attention à ce que ça ne brûle pas trop longtemps. Ensuite, il fallait le revirer sur le côté et recommencer pour faire brûler le poil sur le ventre.

— En fin, ils le roulaient sur une échelle. Après y avoir ligoté le porc, on levait l'échelle pour que le sang coule complètement.

— La prochaine chose à faire c'est de laver le cochon et le gratter pour enlever tous les "chicots".

— Maintenant, il faut "l'étriper", c'est-à-dire enlever les intestins, l'estomac et les autres organes non comestibles.

— On gardait le coeur, la langue, la cervelle et la "forsure" (foie) ou fressure.

— On garde aussi la graisse dans des vaisseaux de grès pour pouvoir faire du savon du pays, au printemps. Il faut gratter la toile qui retient l'estomac et les intestins (la panse) car c'est là que l'on retrouve une grande partie de la graisse.

— Pour faire le savon, on prenait cette graisse, du lissie, de l'arcanson (pour adoucir). Certains gardaient la cendre du bois franc comme l'érable parce qu'elle contenait la potasse que l'on pouvait employer au lieu du "lessi".

— Pour terminer, il faut fendre le porc en deux parties, sur le long. On emploie une scie à viande pour le faire.

— Une autre méthode pour enlever le poil sur la "couenne" était de descendre le cochon dans de l'eau très chaude (mais non bouillante) avec l'aide de poulies.

— On remontait alors le cochon, et avec l'aide de couteaux, on grattait tout le poil.

— Certains employaient une "plane" (outil pour enlever l'écorce des billots) pour gratter.

— D'autres encore, un peu mieux équipés, possédaient un outil réservé au grattage qui ressemblait à une soucoupe renversée et munie d'une poignée de bois.

Note: On gardait les tripes, que l'on lavait et grattait soigneusement pour faire du boudin avec le sang recueilli. Pour gratter les tripes, on employait le dos d'un couteau et une petite planche bien plane et douce. Au moyen d'une tasse, on vidait le sang, (auquel on avait ajouté au préalable un peu de gras, de viande et d'épices) dans la boudinière. (La boudinière est un entonnoir avec un col, un tuyau plus large que normal. On y attache la tripe pour pouvoir la remplir de sang.)

Quelquefois, on gardait la vessie du porc pour se faire une "blague à tabac". On la remplissait d'air au moyen d'un bout de pipe et on fermait l'orifice à l'aide d'une ficelle attachée très serrée (un peu comme un ballon). Quelques jours plus tard, une fois la vessie séchée, la femme y cousait un rebord de linge et y passait un cordon.

APPENDICE K — Façon et technique pour tanner les peaux.

D'après l'entretien avec M. Francis Castonguay de Chelmsford, Ontario. Son père est natif de Saint-Henri, Québec.

— Cette technique peut être employée pour le traitement de la peau d'animaux domestiques comme le boeuf aussi bien que celle d'animaux sauvages comme l'orignal. Le tannage consiste à changer la peau de l'animal en cuir.

— Pour débuter, il faut faire tremper la peau dans un récipient quelconque dans lequel se trouvent de l'eau et du savon du pays. Ce savon doit être aussi fort que possible. On laisse tremper le tout pendant deux jours. Après quarante-huit heures, il faut vérifier si le poil s'enlève assez aisément de la peau lorsqu'on le gratte avec un couteau. Si ce n'est pas le cas, il faut laisser la peau dans ce liquide pendant encore vingt-quatre heures. Il est rare que ce laps de temps ne suffise pas à détacher le poil de la peau.

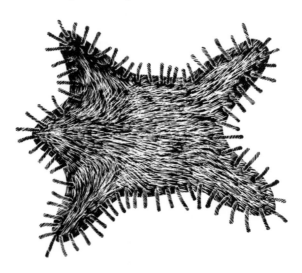

— Une fois le poil complètement gratté, il faut étendre la peau sur une planche ou un mur de grange pour l'assécher. On la fixe avec des clous.

— Une semaine plus tard, on détache un coin seulement de la peau et on l'amollit en la froissant, en la frottant. Si le résultat est satisfaisant, si la peau passe du rouge brunâtre au brun très pâle, presque blanc, on peut alors enlever la peau et continuer à l'amollir complètement. Il faut rendre la peau aussi souple que possible.

APPENDICE L — Construction de la maison

Témoignage de M. Osias Mainville, Chelmsford. Parents: Saint-Victor d'Alfred, Ont.; grand-père de France.

— La maison était la première construction qui montait.

— C'était une maison à pièces équarries.

— Il fallait "bousiller" les joints avec du "morquier" (mortier) à l'aide d'une truelle ou d'un "bouquelier".

— À l'extérieur de la maison, on peinturait le bois avec de la chaux "détâmée" avec de l'eau. En plus d'embellir la maison, ceci permettait une meilleure protection au bois.

— Certains "bousillaient" les fentes avec de la mousse que l'on trouvait sur les flancs des montagnes au lieu du "morquier". On se servait d'un "coin" et d'un "maillet" dans ce cas.

— À l'intérieur, les femmes posaient un papier brun et de la tapisserie. Elles se faisaient de la colle avec de la farine mélangée avec de l'eau.

— Après la maison, on construisait l'étable pour les chevaux.

— D'habitude, après quelques années, si le colon avait suffisamment de terre nouvelle de faite, il organisait un "bee" pour construire sa grange.

— Il lui fallait un spécialiste en charpente, "frêmeur" de grange, qui venait avec son moulin pour percer ou sa tarière. C'est lui qui perçait les "martoises" (mortaises). (Cinq centimètres de large, vingt centimètres de long.)

— Il fallait aussi découper des "tenons". Le tenon entre dans la mortaise.

— Parfois, on pouvait compter trente voisins (qui pouvaient avoir voyagé d'assez loin) collaborer au "bee", à la corvée.

— Ces hommes levaient les chevrons à l'aide de "pack-poles" (perches-gaffes?).

Le puits

— Il fallait creuser le puits à la pelle. Le puits pouvait avoir jusqu'à huit mètres de creux. Si le puits était bon, on le maçonnait avec de la roche à l'intérieur. Ensuite, on installait une "brimbale" ou un rouleau muni d'une manivelle.

— Certains ne trouvaient pas d'eau sur leur terre. On faisait venir un "sourcier" qui venait avec sa "hart de coudre" pour trouver de l'eau. Il demandait habituellement vingt-cinq sous pour son déplacement. C'était le prix de 500 grammes de tabac.

— Si le chercheur d'eau n'en trouvait pas, il fallait que l'habitant charroie son eau dans des "quarts" (barils) du ruisseau ou de la rivière.

— D'après M. Mainville, le "coudre", c'est le noisetier.

Les chemins

— Là où le chemin passait dans un marécage, les hommes faisaient du "pontage". On appelait ça du "corderoy".

Les voitures

— Les voisins se rassemblaient pour aller à la messe.

— L'hiver les différentes voitures étaient: cutters, sleighs, berlines, borlots.

— L'été, c'était le buggy, l'express et la waguine.

— On employait les borlots l'hiver pour faire les commissions.

— En été, c'était surtout l'express (quelquefois un wagon) pour les commissions et le courrier.

La confection des chandelles

— On attendait les froids d'hiver.

— On étendait une corde de coton entre le hangar et les poteaux de la "galerie".

— On faisait fondre le suif de boeuf. Ensuite on le coulait sur la corde avec une (gouderelle à sève d'érable) goudrielle pour chandelles.

— On pouvait faire des chandelles d'un pouce de diamètre.

— Ça ménageait le "coal oil" ou kérosène (huile à lampe) qui se vendait vingt-deux sous le gallon.

Les moutons

— Il était difficile de garder des moutons, car les chiens en dévoraient plusieurs. Le conseil municipal payait trois piastres par mouton dévoré.

— On tondait les moutons au printemps avec des ciseaux.

— Il fallait "balayer la batterie" bien propre pour ne pas salir la laine.

— Il fallait faire attention aux brebis qui étaient enceintes.

— On envoyait une partie de la laine chez Black Co. d'Ottawa.

— La laine que l'on gardait, la mère la cardait et la filait au petit et au grand rouet. Auparavant, elle devait la laver dans une cuve près du ruisseau.

— Ensuite, elle la mettait en écheveaux (fusées) au moyen d'une espèce de "tribouquet" avec une manivelle.

— Après, il fallait la "pelotonner".

— Si elle voulait la colorer, elle devait acheter de la teinture au village.

Les vaches

— Sur certaines fermes, on allait faire boire les vaches au ruisseau.

— L'hiver, il fallait laisser de la paille dans le trou pour prévenir qu'il gêle et qu'il se referme.

Pour faire de la "terre neuve"

— Il faut abattre les arbres et les "aunages".

— Arracher les souches.

— Brûler le bois dans des "abattis". (Note: pas de problème avec les pierres dans notre région.)

La laiterie

— La laiterie était construite en pièces de bois équarries.

— On plantait des perches tout alentour, ces perches supportaient du houblon semé autour de la laiterie. Ce houblon, par son ombre, aide à retenir la fraîcheur à l'intérieur de la laiterie.

— La laiterie sert surtout à conserver le lait, le beurre et la crème.

— On peut y garder du boeuf et du lard si on n'a pas de glacière, mais pas plus tard que le mois de mai. Dépassé ce mois, il est nécessaire de "cabocher" une ou deux poules pour avoir de la viande fraîche.

Les nouvelles

— Il n'y avait pas de radio à cette époque. Le soir, la mère lisait la "Patrie", journal du Québec, pendant que les enfants s'assoyaient pour écouter.

Messe de minuit

— On partait en sleigh. Le fond de la boîte était recouvert de foin et on se protégeait du froid avec une couverture ou une peau de bison. D'autres allaient à la messe en "cutter".

— Les femmes portaient des bas de "cashmere" avec des bas de laine par-dessus.

— Les hommes se réchauffaient avec du "high wine" aussi appelé "whisky en esprit".

— On payait trois dollars pour 4 litres de "high wine" concentré et on en faisait 14 litres en y ajoutant de l'eau.

La crémeuse

— La crémeuse servait à séparer la crème du lait. C'était un bidon portant une ouverture vitrée sur le côté. On l'emplissait de lait frais, et on la descendait dans le puits au bout d'un câble.

— On laisse la crémeuse dans le puits jusqu'au lendemain. C'est la fraîcheur du puits qui cause la séparation du lait et de la crème.

— On vide la crème dans des pots "de grès".

— On donne le "petit lait" aux cochons et aux veaux.

— Plus tard, les écrémeuses à manivelle firent leur apparition.

Les feux-follets

— Les feux-follets sont des lueurs qui glissent rapidement sur les clôtures. Si on plante un couteau sur la clôture et qu'un feu follet vient s'y trancher en deux, on délivre ainsi une âme du purgatoire.

Le bateau de la chasse-galerie

— Le "méchant monde" (mauvaises personnes) s'élevait dans les airs en bateau ou en chaloupe. On les entendait chanter et s'amuser. Parfois, on trouvait une rame brisée dans les champs. On disait qu'ils l'avaient échappée. On les entendait chanter, mais on ne les voyait jamais.

La confection du savon

— Quand on "faisait boucherie", on gardait le gras et le suif de boeuf dans des boîtes dans le hangar. On enlevait aussi la graisse des panses de cochons gras.

— Le printemps, on fait fondre le tout dans des grands chaudrons à l'extérieur. On y vide du "lessi", du sel, de l'arcanson. On mélange le tout avec une palette.

— Lorsque refroidi, on le découpe en petits pains.

Anecdote: M. Mainville raconte qu'une fois, une vache, attirée par le goût du sel, avait mangé la potasse qui restait au fond du chaudron. Elle était morte presque aussitôt. On ramassait d'habitude cette potasse pour laver les planchers.

La grange

— Les différentes parties d'une grange sont:

1. Au milieu de la grange (avec une grande porte à chaque bout) se trouve la "batterie". C'est ici que l'on presse habituellement le foin en

balles. La "batterie" permet l'accès à la tasserie, ainsi que le déchargement du grain et du foin.

2. La "tasserie' se trouve à côté de la "batterie". C'est dans cette "tasserie" que l'on entrepose le foin ou le grain.

Il faut mentionner aussi la "grande fourche" mue par un système de poulies qui permet, avec l'aide de chevaux, de décharger un "voyage de foin" en quatre "fourchetées". Cette grande fourche monte au faîte de la grange; arrivée à ce point, un déclic lui permet de glisser sur un rail. C'est alors que l'on tire sur un câble qui permet à la fourche d'ouvrir et de laisser tomber le foin sur le dessus de la "tasserie".

Apparemment, c'était un travail très réchauffant que de placer le foin sur la "tasserie" à cause du manque d'aération et de l'humidité du foin.

3. De l'autre côté de la "tasserie", on trouve l'écurie. C'est plus ou moins une étable où l'on garde les chevaux et les vaches durant l'hiver.

4. Au-dessus de cette écurie se trouve la remise à grain. C'est un hangar avec des compartiments pour les pois, les grains d'orge et d'avoine, etc. Si la remise n'est pas trop élevée au-dessus du sol, on peut y entreposer le "cutter" l'été, et le "buggy" l'hiver. Parfois, on y trouvait aussi un "établi" pour y travailler le bois.

L'agriculture

— Tout d'abord, il faut labourer la terre à l'automne, afin de ne pas perdre de temps au printemps.

— Il y avait différentes compagnies fabriquant des charrues:
> 1. Massey-Harris
> 2. Folsom Wood (Frost & Wood)
> 3. Cockshutt
> 4. Provincial.

— Les charrues n'avaient pas de roues. Il y avait deux mancherons par lesquels le laboureur empêchait la charrue de verser sur le côté.

— Il fallait deux chevaux pour tirer une charrue à une oreille, et trois chevaux pour tirer une charrue à deux oreilles (versoirs).

— Après le labour, il faut étendre le fumier (surtout si l'on a l'intention de semer des patates).

— On apporte le fumier dans un tas au milieu de la pièce que l'on veut ensemencer. Le transport se fait avec un tombereau.

— Le tombereau est une voiture montée sur deux roues à jantes plus larges qu'à l'ordinaire (10 centimètres de largeur).

— Quand on tire sur un "ketch" [crochet], la caisse bascule.

— Ensuite, on étend le fumier dans le champ avec un "broc".

Note: On préférait étendre le fumier l'automne parce qu'on trouvait que ça faisait moins de "choux-gras" (mauvaises herbes).

— Ensuite, il faut passer la herse sur le champ.

— Après avoir "tiré" des rangs, il faut couper les patates "de semence" et les semer à la main. Apparemment, si on fait attention de placer le germe sur le dessus quand on place le morceau de patate dans le rang, la récolte sera bien plus vite arrivée; la patate poussera plus rapidement.

— Lorsque le mil est semé, on passe le rouleau de bois. Ceci sert à "finir la terre" (briser les mottes) et à enterrer les graines de mil.

La récolte

— Au début, on ramassait les patates avec un simple broc. Ensuite vinrent les "garocheuses". Plus tard, on inventa la "sasseuse".

— On gardait les patates dans les caves ou caveaux creusés dans la terre fraîche. On y gardait aussi des pleins "quarts" (barils) de petites fèves à beurre après les avoir salées.

Les céréales

— Les semailles. Au début, on suspendait une poche à son cou et on étendait les grains de semence à la main. Plus tard, on employait une petite semeuse "à main" que l'on portait dans le cou, munie d'une manivelle qui faisait tourner au-dessous un éventail qui étendait la graine plus uniformément. On employait cette machine surtout pour la petite graine comme le mil et le trèfle.

Foin

— On coupe le foin à la faulx. Plus tard, le moulin à faucher (faucheuse mécanique) fit son apparition.

— Ensuite, on le met en "vailloches" pour venir le ramasser avec le wagon ou des paniers à foin.

— Au début du siècle, on commença à presser le foin en "balles" parce que ça prenait moins de place dans la grange. Il y avait plus d'espace libre pour l'entreposage du grain.

Note: Avec l'apparition du "chargeur à foin" que l'on traînait derrière le wagon de ferme, il fallut développer un râteau mécanique (tiré par deux chevaux) qui plaçait le foin en "rondins". Il était alors plus facile de charger le foin sur le wagon en suivant ledit rondin, le chargeur faisant le chargement.

— Arrivé à la grange (si l'on ne désirait pas presser le foin), on rentrait la waguine dans la "batterie" et on déchargeait le voyage de foin au moyen de la "grande fourche".

Avoine

— L'avoine ainsi que le blé, l'orge et le lin étaient coupés à l'aide d'un javelier qui permettait de placer les gerbes en ordre, en rang.

— Pour le grain, on tournait deux "couettes" ensemble pour attacher les gerbes et former ainsi les "bottines". Ceci remplaçait la corde. D'autres employaient la "hart rouge" à cet effet.

— Le grain est alors placé en quintaux pour qu'il sèche avant le battage.

— Pour ce qui est de la "lentine" [lentille] que l'on sème pour soigner les cochons, elle est coupée à la faucille.

— On emploie aussi la faucille pour récolter le lin. On pouvait faire bouillir le lin, pour ensuite recueillir le jus que l'on faisait boire aux petits veaux. On en mettait aussi dans la crèche des chevaux avec leur avoine. Ça rendait leur poil très beau et lisse. Ils avaient l'air en santé.

— On battait le lin avec des fléaux. Ensuite, le lin est passé dans la broie "broyeuse" pour briser l'écorce.

Note: Le tissu de lin avec lequel on confectionnait des draps était très irritant pour la peau.

— Le fléau pouvait aussi être employé pour battre le mil, les pois et les fèves.

Note: Il fallait faire attention de ne pas "manger le cucot?" ou "que'qu's coups" derrière la tête. Il fallait ensuite vanner avec un van.

La trépigneuse (horse-power)

— On utilisait le horse-power pour scier du bois avec un banc de scie, ainsi que pour battre au moulin (avoine, blé, orge, pois, etc.).

— Les compagnies qui fabriquaient des "horse-power" étaient:
    1. Jeffrey
    2. Dorry

— Deux sortes de trépigneuse:
    1. Simple (un cheval)
    2. Double (deux chevaux)

— Plus tard, l'engin à gasoline (moteur à deux temps), fabriqué par la compagnie Staywright remplaça la trépigneuse.

Les sucres

— En premier lieu, on plante des goudrelles à travers l'écorce de l'érable. Ceci permet à la sève de couler dans le cassot.

— Une coche permet d'accrocher le bocal au bout de la goudrelle.

— On verse la sève recueillie dans des "quarts" (barils) que l'on traîne sur un "stone-boat" aussi appelé "jompeur" (jumper).

Note: Le stone-boat est construit avec deux billots de bouleau, de préférence, parce que, disait-on, il était plus glissant. On essayait de les couper dans la racine pour pouvoir garder une courbe. On posait des travers dessus. Le stone-boat avait 1,2 mètre de large. Il n'y avait pas de lisses ferrées sous les billots.

— On verse ensuite le tonneau dans des chaudrons à l'intérieur de la cabane à sucre.

— La sève bouillie prend de la consistance et devient du sirop.

— Une palette de bois permet de brasser le sirop qui chauffe et d'en vérifier la consistance.

— On peut aussi faire de la tire sur la neige.

— Les oeufs cuits dans le sirop: délicieux.

— Le "sucre du pays" était souvent offert sous différentes formes grâce à des moules décoratifs.

Les voitures

— Il y avait des barlots (ou berlots) à cette époque. C'était une belle petite "sleigh" à deux sièges.

— Il y avait aussi le traîne à bâtons.

— Les "bourdons" étaient de gros "gorlots" (grelots) que l'on plaçait sur la croupe des chevaux pour avertir les piétons et les autres voitures et ainsi prévenir les accidents.

APPENDICE M

Tuyaux et pompe de bois

D'après les propos de M. Médéric Tessier (74 ans en 1979) de Coniston, Ontario.

Ce dont je vous parle se passait vers 1912 ou 1914; je suis né en 1905, à Saint-Charles; mes parents venaient d'Embrun, où ils avaient une ferme.

Les pompes en bois . . . Il n'y avait aucune pression là-dedans; ce n'était que pour pomper l'eau directement du puits. On manoeuvrait le bras de la pompe, celui-ci mettait le silon (piston) en branle. J'ai travaillé là-dedans, moi.

Le tuyau descendait verticalement dans le puits, appuyé sur un certain support, et allait chercher l'eau à 4 ou 5 mètres . . . suivant le niveau de l'eau. Parfois le puits était creux . . . Quelques-uns avaient six mètres de profondeur, d'autres, trois. On adaptait ces tuyaux à la pompe qui contenait le cylindre (silon). C'était la "tête de la pompe"; là (dans le cylindre), se trouvait une soupape.

Le tuyau était constitué d'une tige de bois (un arbre ou une partie d'arbre) percée au milieu dans le sens de la longueur; un trou de cinq centimètres pratiqué à la tarière servait à la circulation de l'eau. Un M. Sealy de Renfrew vendait ces pompes et ces tuyaux de bois; nous les achetions chez Sealy. Quand des cultivateurs avaient besoin de pompes ou de tuyaux, mon père les commandait à Renfrew et les leur revendait. Les sections de tuyau nous parvenaient d'après les dimensions commandées; une section pouvait aller à 4,5 ou 5 mètres. La grosseur de la tige était réduite, à un bout, et s'introduisait dans le trou de la "tête de pompe", là où le piston circulait.

Ici, dans le piston, une soupape s'ouvrait ou se fermait, suivant le mouvement vertical du piston; à l'autre bout, une autre soupape qui s'ouvrait et se fermait en sens inverse de celle du piston, suivant la compression ou le vide créé par le va-et-vient du piston.

Nous recevions de Renfrew, la pompe et le tuyau. La pompe était peinturée de différentes couleurs réparties par bandes horizontales, une section bleue, une section rouge, une autre section d'autre couleur . . . Le tout était bien confectionné, le bois poli et peint. Quand on recevait les tuyaux, on pouvait les couper et se faire un tuyau de cinq mètres, en ajoutant bout à bout deux tiges de deux mètres et une autre d'un mètre.

Quand j'étais jeune (vers 1912 ou 1914), je prenais les outils de mon père et je me fabriquais une petite pompe et des tuyaux. À Saint-Charles, nous avons été les seuls à installer une pompe en bois. Mon père allait souvent à Ottawa et avait appris que ce M. Sealy fabriquait des pompes et des tuyaux. Et je suppose qu'il en avait vu fonctionner au cours de ses visites, à Pembroke ou ailleurs.

L'avantage de la pompe en bois, quand la tête était d'une bonne grosseur, était de vous procurer un seau d'eau, d'un seul "coup de pompe". Nous pompions au même puits l'eau qui servait à la maison et l'eau destinée aux animaux. Un peu plus tard, un tuyau allant du puits à la maison permettait d'amener l'eau à la maison, au moyen de la pompe, sans aller au puits.

APPENDICE N — Le sourcier (chercheur d'eau)

D'après les propos de M. Philippe Lefebvre, né à Chelmsford, en 1908, et résident de la région depuis sa naissance. Ses parents venaient de la région d'Alfred, Ontario.

Son père était sourcier. Il l'avait déjà vu faire ce métier. C'est surtout lorsque, quelques années après la mort de son père, il avait vu un vieux Finlandais, dont il ignore le nom tout en sachant qu'il venait de Copper Cliff, chercher de l'eau pour quelqu'un de ses amis.

Par curiosité, M. Lefebvre avait ramassé la "hart de coûte" (coudre) qu'avait laissée tomber le vieil homme. C'est ainsi qu'il s'aperçut qu'il pouvait deviner lui-même où était située l'eau.

— N'importe qui ne peut pas devenir sourcier. C'est donné à quelques rares personnes (à peu près une sur 200 personnes).

— Il faut prendre une branche en forme de fourche. Tout en tenant les deux branches du haut, en faisant attention de tenir la fourche horizontalement, le sourcier marche à pas lents.
— Quand il passe au-dessus de la veine d'eau, la branche libre cherche à descendre.

Note: M. Lefebvre affirme préférer les harts rouges. Il dit qu'elles fonctionnaient mieux.

— Quand l'eau était à la surface, parfois la réaction était tellement forte que la hart se brisait près des mains du sourcier. L'écorce se tordait.

— Il faut serrer très fort, autant que possible.

— Tu commences à marcher.

— Quand tu frappes une veine, tu sens que la hart commence à forcer.

— La pointe descend quand tu frappes de l'eau.
— M. Lefebvre affirme qu'il pouvait dire:
  1. Où se trouvait l'eau
  2. Comment profond (à quelle profondeur) se trouvait la veine
  3. Combien d'eau on pouvait s'attendre à trouver (débit).
Ceci marchait n'importe où: sur le sol, ou sur le roc.
  Les gens préféraient faire venir le sourcier avant de construire la maison, afin d'avoir de l'eau dans la cave.
  Apparemment, c'était "dur sur la santé" que d'être sourcier:

— C'est quelque chose dans le sang.

— C'est un effort pour les nerfs.

— Puisqu'il faut forcer constamment, le mal se jette dans le ventre du sourcier. Son estomac revire à l'envers. Il digère mal.

— Les gens qui peuvent faire ça sont rares.

— Ça se passe de père en fils (M. Lefebvre affirme que son fils est sourcier aussi).

— Il dit ne jamais avoir manqué son coup. Ça marche toujours.

— Il trouvait même des puits artésiens souvent.

— Plus la veine d'eau était importante, plus c'était difficile de tenir la fourche. Des fois, on trouvait de l'eau, le sourcier, c'est-à-dire, trouvait de l'eau tout près de là où l'on venait de creuser.

— M. Lefebvre pouvait même dire s'il y avait deux veines (sources souterraines) qui s'unissaient.

— Quand la hart descend bien vite, ça veut dire qu'il y a beaucoup d'eau et qu'elle n'est pas trop profonde.

— Si la hart descend lentement, l'eau est loin, est profonde.

— De plus, d'après la force exercée, il pouvait deviner combien d'eau l'on trouverait.
  Donc, en résumé:
  1. La vitesse avec laquelle descend la pointe indique la profondeur.
  2. La force d'attraction indique la quantité d'eau à laquelle il faut s'attendre.

Note: Si quelqu'un place sa main sur l'épaule ou une partie quelconque du corps du sourcier, l'effet est annulé. La hart ne fonctionne pas.

Note: M. Lefebvre dit que, par curiosité, il l'a essayé en bateau pour voir ce qui se passerait. S'il n'y a pas de veine sous le lac ou la rivière, ça n'affecte pas la hart. Il faut nécessairement une veine souterraine pour qu'il y ait un effet visible.
  M. Lefebvre venait les mains pleines de "corne" à force de forcer. Il fallait tourner la hart à l'envers avec les mains. Celle-ci cherche à re-

prendre sa position originale. C'est très dur sur la santé. M. Lefebvre a été obligé de se reposer pendant six mois à un certain temps.

APPENDICE O

Sel

M. Jean-Baptiste Hémon, 86 ans (1955) né en 1869 en Gaspésie, raconte dans ses souvenirs . . .

Mon père était venu s'installer à l'anse à Goémon. Il n'avait pas de cheval; il avait élevé un petit boeuf pour cultiver.

À cette époque (vers 1855), il n'y avait pas de bateaux de ligne, il n'y avait pas de phare. Les marins ne devaient compter que sur leur habileté. Même si une dizaine de bateaux partaient pour Québec, il n'en revenait que trois ou quatre. Le sel était rare, et les pêcheurs devaient se tirer d'affaire.

Dans ces temps-là, il n'y avait pas de chantiers, il n'y avait aucune industrie locale. Un automne, mon père se décida d'extraire du sel de la mer. Il a équarri à la hache des pièces d'épinettes de huit mètres de longueur et de 20 centimètres de grosseur. Il s'est fabriqué au bord de la mer deux boîtes d'un mètre de largeur, un mètre de hauteur et de huit mètres de longueur. Pendant l'hiver, il remplissait ces réservoirs d'eau salée (eau de mer) et la laissait geler. Il cassait la glace amassée sur les boîtes (eau douce) en libérait les réservoirs qu'il remplissait d'eau de mer. Arrivait un moment où l'eau était salée au point d'empêcher le froid de former de la glace.

Mon père transvidait cette eau dans d'immenses chaudrons à sucre contenant 160 ou 180 litres et la laissait évaporer. L'eau devenait épaisse comme de la potasse. Ce liquide était meilleur pour saler la morue que le sel vendu sur le marché.

Tout en surveillant son eau salée et son sel, il s'était bâti une embarcation, une sorte de chaloupe que l'on appelait une "barge". Le printemps arrivé, mon père chargea dans sa chaloupe 20 barils de cette sorte de "potasse" préparée pendant l'hiver, et navigua vers Matane pour aller vendre sa marchandise.

À cette date, Matane n'était pas un village très développé; il ne contenait que deux magasins: celui de M. Talbot et celui de M. Gosselin. Il a vendu sa cargaison, ses 20 barils de sel à M. Talbot, quatre dollars le baril. La somme de 80 dollars lui permit de s'acheter une petite jument de trois ans. Il fit monter l'animal dans l'embarcation et repartit en descendant vers l'anse à Goémon. La chaloupe n'avait pas de moteur ni de voile. Il fallait ramer et utiliser une "couverte" de temps en temps comme voile pour soulager le rameur ou augmenter la vitesse du bateau.

APPENDICE P

Mémoires

Patrice Larivière (85 ans, 1955), Saint-Boniface, Manitoba.

À l'âge de onze ou douze ans (vers 1881), j'ai travaillé sur une ferme; je battais au moulin pour un fermier.

Je n'ai jamais battu le grain au fléau, mais j'ai vu mon père se servir du fléau et du van.

Le moulin à battre auquel je fais allusion, était une machine très simple que l'on appelait le "silon". Nous prenions le grain qui tombait du "silon" et nous allions le nettoyer au moyen du crible placé près du moulin. L'un de nous, vidait le grain dans le crible, et un autre tournait la manivelle.

Pour actionner le moulin à battre, nous utilisions un horse-por' [horse-power] et, après avoir battu le grain, nous avions recours au crible. Ce sont des instruments que j'ai bien connus!

Mon père coupait le grain au moyen d'un javelier. Je l'ai vu couper du grain aussi à la faucille. J'étais encore enfant, dans ce temps-là, et j'essayais de faire ma part de travail au moment des récoltes. Nous, les jeunes, nous allions chercher des harts, de petites branches de saule pour lier les gerbes. Nous prenions les javelles pour en faire des gerbes. Nous ne réussissions pas toujours à fabriquer une belle gerbe . . .

Plus tard, j'ai travaillé sur la ferme de mon oncle Lebrun. C'était une ferme assez prospère; on y élevait beaucoup de vaches. Mon travail était très varié.

La tissage au métier! Mais ma mère n'avait pas de métier à tisser; elle n'avait qu'un rouet. Elle filait la laine pour en tricoter des mitaines et des bas. Chez mon oncle Lebrun, ma tante avait un métier à tisser et fabriquait de la flanelle, de l'étoffe et des couvertures de laine.

Les fermières utilisaient certaines écorces pour en faire de la teinture. J'ai porté des chemises teintes de cette façon; c'était une teinture rouge ou rouge tirant sur le brun.

On utilisait aussi des écorces de saule et de chêne pour tanner le cuir. On plaçait des écorces dans un tonneau en partie rempli d'eau. Quand ce jus commençait à jaunir, c'était le temps de déposer les peaux d'animaux dans le tonneau. Ils laissaient les peaux plusieurs jours dans cette solution. Quand on en retirait les peaux, le poil commençait à s'arracher. On enlevait le poil au moyen d'un grattoir.

Ce cuir servait à fabriquer les chaussures. C'était les femmes qui s'occupaient surtout des souliers, espèces de mocassins dont la partie antérieure était faite d'une pièce de cuir taillée en pointe; l'autre partie, qui faisait corps avec le soulier, venait rejoindre la première, grâce à de multiples plis très fins obtenus par l'effet d'une babiche qui courait le long du cuir. C'est une technique que toutes les femmes connaissaient bien. Elles utilisaient plutôt une sorte de nerfs tirés de tendons de bison (Buffalo). Plus tard, elles utilisèrent de la babiche taillée dans des peaux de chevreuils.

Une fois le soulier cousu, on y ajoutait une hausse de quelques centimètres. Les deux lèvres de cette hausse étaient percées de trous qui servaient à passer un lacet de cuir destiné à adapter le soulier à la jambe.

Je n'ai connu la botte sauvage (hautes hausses montant jusqu'aux genoux) seulement quand un groupe de Canadiens du Québec vinrent s'installer au Manitoba et y apportèrent les vêtements et chaussures de leur milieu natal. J'avais à peu près douze ans, à cette époque.

À ma connaissance, on ne fabriquait pas ici d'autre genre de chaussures que les mocassins. Même les draveurs portaient les mocassins pour courir sur les billots.

BIBLIOGRAPHIE

ARSENAULT, Urbain. **Patrimoine gaspésien.** Léméac, Montréal, 1976.

BARBEAU, Marius. **Maîtres artisans de chez nous.** Éd. du Zodiaque, 1942; Bâtisseurs d'habitations, p. 45ss; Manufacturiers de machines agricoles, p. 95ss.

BARBEAU, Marius. **Folklore** dans **Cahiers de l'Académie canadienne-française,** Montréal, 1966.

BOILY, Lise et Jean-François Blanchette. **Les fours à pain au Québec.** Musée national de l'Homme, Ottawa, Canada, 1976.

BOUCHARD, Georges. **Vieilles choses, vieilles gens.** Silhouettes campagnardes, Beauchemin, Montréal, 1926 et 1929.

CARPENTIER, Paul. **La raquette à neige.** Éd. Boréal Express, Québec, 1976.

CROFF, Madame E. **Nos ancêtres à l'oeuvre à la Rivière-Ouelle.** Éditions Albert Lévesque, Montréal, 1931.

DAWSON, Nora. **La vie traditionnelle à Saint-Pierre** (Île d'Orléans). Les Archives de Folklore, n° 8, Québec, P.U.L., 1960.

DESGAGNIERS, Jean. **L'île-aux-Coudres.** Léméac, Montréal, 1969.

DESILETS, Alfred. **Souvenirs d'un octogénaire.** Dupont Imprimeur, 1922.

DESRUISSEAUX, Pierre. **Le p'tit almanach illustré de l'habitant.** Édition de l'Aurore, Montréal, 1974.

DOUVILLE, R. Casanova, J.D. **La vie quotidienne en Nouvelle-France.** Hachette. s.d.; Adaptation au pays, ch. III, p. 45; Moyens de transport, ch. IX, p. 207.

DOYON, Dominique-Marie, O.P. **La fabrication de la potasse à Saint-François de Beauce,** dans **Les Archives de Folklore** n° 4, Éditions Fides, 1949, p. 29ss.

DUBOIS, Émile. **Autour du métier.** L'Action française, Montréal, 1922, pp. 53–79.

DUPONT, Jean-Claude. **Histoire populaire de l'Acadie.** Léméac, Montréal, 1979.

GAGNON, abbé Antoine. **Monographie de Matane.** Imprimerie générale de Rimouski, Ltée, 1945; Moulin à châsse, p. 177; Vie des gens d'autrefois, p. 297ss.

GAUTHIER-LAROUCHE, Georges. **Évolution de la maison rurale traditionnelle dans la région de Québec.** Archives de Folklore, n° 15, P.U.L., Québec, 1974.

GENEST, Bernard. **Massicotte et son temps.** Boréal Express, Montréal, 1979.

GENÊT, Nicole, Luce Vermette et Louise Décarie-Audet. **Les objets familiers de nos ancêtres.** Éditions de l'Homme, Montréal, 1974, 304 pages.

GILLES, le frère o.f.m. **Les choses qui s'en vont.** Éd. de la Tempérance, Montréal, 1918.

GRENON, Hector. **Edmond Massicotte — Scènes d'autrefois.** Stanké, Ottawa, 1977.

GRIGNON, Claude-Henri. **Un homme et son péché.** Éd. du Vieux Chêne, Montréal, 1941.

GROULX, Lionel. **Les rapaillages.** Bibliothèque de l'Action français, 1916.

HARPER, J. Russel. **Cornelius Krieghoff (La ferme).** Galerie nationale du Canada, Ottawa, 1977.

HÉMON, Louis. **Maria Chapdelaine.** Nelson, Paris, 1946.

JEFFERYS, C.W. **Période de formation, Canada 1812–1871.** La Revue Imperial Oil, juillet 1967.

LAFLEUR, Normand. **La vie quotidienne des premiers colons en Abitibi-Témiscamingue.** Léméac, Montréal, 1973.

LAFRAMBOISE, Yves. **L'Architecture traditionnelle au Québec.** La maison aux 17ᵉ et 18ᵉ siècles. Éditions de l'Homme, Montréal, 1975.

LAJOIE, Gérin. **Jean Rivard le défricheur canadien** dans **Les soirées canadiennes,** Brousseau Frères, Québec, 1862, pp. 65–318; potasse (perlasse), p. 145, pp. 172–174.

LAJOIE, Gérin. **Jean Rivard, économiste** dans **Le Foyer Canadien,** tome II, Bureaux du "Foyer Canadien", Québec, (Jean Rivard, 1864), pp. 15–371.

LALIBERTÉ, Alfred. **Les bronzes d'Alfred Laliberté.** Collection du Musée du Québec, Ministère des Affaires Culturelles, Québec, 1978.

LAVOIE, Roger. **La raquette.** Société historique du Nouvel-Ontario, Sudbury, Document historique nᵒ 65, 1975.

LESSARD & H. Marquis. **Encyclopédie de la maison québécoise.** Éd. de l'Homme, Montréal, 1972.

LESSARD & H. Marquis. **Encyclopédie des antiquités du Québec.** Éd. de l'Homme, 1971.

LESSARD, Michel et Gilles Villandré. **La maison traditionnelle du Québec.** Éd. de l'Homme, 1974.

MAILHOT, Charles-Édouard. **Les Bois-Francs.** Arthabaska, 1925.

MARIE-VICTORIN, Fr. **Récits Laurentiens.** Casterman, Paris, 1919.

MASSICOTTE, E.Z. **Anecdotes canadiennes** suivies de **Moeurs, coutumes et industries d'autrefois.** Beauchemin, Montréal, 1913.

MORIN, Louis. **Le calendrier folklorique de Saint-François-de-Sales-de-la-Rivière-du-Sud.** Cahiers d'histoire, nᵒ 5. Société historique de la Côte-du-Sud, La Pocatière, 1972.

RINGUET, Philippe Panneton. **Trente arpents.** Flammarion, Paris, 1938.

RIVARD, Adjutor. **Chez nous.** Action sociale catholique, Québec, 1914.

ROY, Wilson, P. **Les belles vieilles demeures du Québec.** Collection Beaux-Arts, Cahiers du Québec, HMH, 1977.

SAVARD, Félix-Antoine. **Menaud Maître Draveur.** Fides, Montréal et Paris (copy. 1937), 1960.

SÉGUIN, Robert-Lionel. **La civilisation traditionnelle de l'habitant.** Fides, Montréal, 1967.

SÉGUIN, Robert-Lionel. **Le travail du chaume dans la région de Saint-Pierre.** Archives d'ethnologie, nᵒ 2. Les Presses de l'Université du Québec, Montréal, 1978.

TESTARD de Montigny (le recorder). **La colonisation. Le Nord de Montréal ou la région Labelle.** Beauchemin, Montréal, 1898; sucre d'érable, ch. XI; la potasse, p. 218ss; premières semailles, p. 250.

THÉRIAULT, J., J.R. Gagnon et André Boutin. **Hier, au pays des métissiens.** Ateliers Plein Soleil, 1977.

URSULE, Soeur Marie. **Civilisation traditionnelle des Lavalois.** Archives de Folklore, nᵒˢ 5 et 6, Les Presses de l'Université Laval, Québec, 1951.

VÉZINA, Raymond. **Cornelius Krieghoff, peintre de moeurs (1815–1872).** Éditions du Pélican, Ottawa, 1972.

VILLENEUVE, Francine-Adam, Cyrille Felteau. **Les moulins à eau de la vallée du Saint-Laurent.** Éd. de l'Homme, Montréal, 1978.

Oeuvres collectives

Almanach du peuple. Éditions Beauchemin, Montréal (scènes de vie canadienne).

Bulletin des recherches historiques. X, 224, 277; XXVI, 283.

Cahier des dix.

Contest picture cyclopedia. Copyright 1951, Specialty Publications, Cleveland, Ohio.

La corvée. Deuxième concours littéraire de la Société de Saint-Jean-Baptiste de Montréal, 1917.

Les Éboulements et l'Île-aux-Coudres. Articles pris à plusieurs éditeurs, s.d.

The National Picture Book. Edited by Keith S. Sutton, 1954.

Parle-moi de mon pays. Enquête de groupe, North Bay, Ontario, 1976.

Sears Roebuck Catalogue. 1897, 1902 et 1908.

The T. Eaton Co. Limited Catalogues for Spring & Summer, Fall & Winter, 1901. The Musson Book Company.

Vieux manoirs, vieilles maisons. Éd. Proulx, Québec, 1927, Commission des monuments historiques de la province de Québec.

Villages et visages de l'Ontario français. Album d'histoire et de témoignages, l'Office de la télécommunication éducative de l'Ontario en collaboration avec les Éditions Fides, 1979.

INDEX GÉNÉRAL

TABLE DES MATIÈRES